M. Leighton figure en bonne place dans les meilleures ventes de *USA Today* et du *New York Times*. Originaire de l'Ohio, dotée depuis son plus jeune âge d'une imagination débordante, Michelle a trouvé la meilleure façon de laisser libre cours à sa créativité : la fiction littéraire. Dans ses rêves les plus fous, elle s'imagine chevaucher un mustang, dévaler les pentes enneigées d'Aspen ou plonger dans des eaux turquoise en compagnie d'une rock star ; le tout sans jamais renoncer au confort de son bureau.

Du même auteur, chez Milady :

Face cachée :

1. *Dans la peau*
2. *Entre mes mains*

www.milady.fr

M. Leighton

ENTRE MES MAINS

Face cachée – 2

Traduit de l'anglais (États-Unis)
par Évangéline Caravaggio

Milady

Milady est un label des éditions Bragelonne

Titre original : *Up to Me*
Copyright © 2013 by M. Leighton
Tous droits réservés.

© Bragelonne 2014, pour la présente traduction

ISBN : 978-2-8112-1234-6

Bragelonne – Milady
60-62, rue d'Hauteville – 75010 Paris
E-mail : info@milady.fr
Site Internet : www.milady.fr

Pour mon mari qui me comble de joie,
ainsi qu'à Dieu pour m'en avoir fait don.

Remerciements

Dans la vie, il m'est arrivé de ressentir une telle reconnaissance, un amour si authentique pour certaines personnes, qu'un simple « merci » me semblait bien fade pour leur signifier l'intensité de mes sentiments. C'est exactement ce que je ressens aujourd'hui à votre égard, vous qui lisez mes romans. Sans vous, jamais mon rêve de devenir auteur ne se serait réalisé. Je savais qu'il serait immensément gratifiant de travailler dans un domaine qui me passionne, mais je n'imaginais pas à quel point cela serait insignifiant comparé au plaisir que j'éprouve lorsque j'entends ou lis que vous aimez mes livres, qu'ils vous ont touchés – quelle qu'en soit la façon – ou qu'ils ont su éclairer un peu votre vie. Aussi, du plus profond de mon cœur, je vous confesse ma douloureuse incapacité à vous remercier comme vous le méritez.

N'hésitez pas à consulter mon blog. J'y exprime ma reconnaissance la plus sincère. Je vous aime toutes et tous : vous n'imaginerez sans doute jamais combien vos messages d'encouragement et vos commentaires comptent pour moi.

1

Olivia

Du coin de l'œil, j'aperçois la lumière étinceler au fond de l'*Hypnos Club*. La porte du bureau de Cash s'ouvre, puis se ferme, tandis que le maître des lieux entre dans la boîte. Sitôt qu'il lève les yeux, nos regards se croisent et fusionnent… une demi-seconde à peine : comme il respecte mon souhait de garder notre liaison secrète, rien dans son attitude ne nous trahit. Pour autant, cela ne m'empêche pas, troublée, de recroqueviller mes orteils au bout de mes chaussures de travail… Au contact de mon regard, le sien s'est embrasé. Des papillons me chatouillent l'estomac, mais, à mon grand soulagement, Cash détourne les yeux : quelques secondes de plus, et c'est moi qui hurlais au monde mon attirance pour lui, tandis que je quittais mon poste derrière le bar, marchais droit vers lui, plaquais mes lèvres contre les siennes, puis le guidais jusque sur son lit…

Je me fais violence pour le quitter des yeux, puis tente de me focaliser sur mon travail.

Merde, Olivia, concentre-toi…

—J'ai ! pépie Taryn qui tend aussitôt le bras pour récupérer un verre sale abandonné devant moi.

Je lui souris, lui adresse un petit hochement de tête reconnaissant, mais n'en reste pas moins méfiante : l'hystérique aux dreads blondes s'est montrée prévenante avec moi toute la soirée, et je ne suis pas certaine de comprendre pourquoi. Taryn n'est jamais sympa avec moi. D'une hostilité manifeste et sauvage, oui ; sournoise et malveillante, oui. Mais, sympa ? Certainement pas, non. Avant aujourd'hui, j'aurais garanti à quiconque en doutait que Taryn préférait – sans doute aucun – affûter une brosse à dents et me la planter dans le foie que m'accorder le moindre regard.

Et la voilà qui me gratifie d'un sourire et met de l'ordre de mon côté du comptoir…

Tiens, tiens…

Je ne suis pas de nature suspicieuse, mais…

Bon, OK, j'admets que je suis d'une nature très suspicieuse, mais il faut dire que j'ai toutes les raisons de l'être : ma vie a été investie par des manipulateurs, des menteurs, des trous du cul d'un nombrilisme maladif et toute une tripotée d'autres raclures qui ont quelque peu terni ma confiance en l'espèce humaine. Maintenant, lorsque les hyènes sont proches, je garde le doigt sur la détente…

Quoi qu'il en soit, j'avoue être assez curieuse d'apprendre quel atout Taryn a planqué dans sa manche : parce que, de fait, la tatouée prépare un sale coup. J'en mettrais ma tête à couper.

Non, la sienne, tiens : même si cela revient au même, je préfère cette formulation !

Je vois presque les rouages d'un mécanisme retors tourner dans ses yeux en amande, bleus et fardés de khôl. Pour autant, tout ce que je peux faire, c'est surveiller mes arrières et attendre la bourde : au hasard d'un faux pas, elle finira par révéler son jeu. D'ici là, je compte avec plaisir la laisser me caresser dans le sens du poil et nettoyer mon bordel à ma place.

—Dis-moi…, me lance-t-elle, l'air de rien, tandis qu'elle se rapproche de moi. Tu fais quoi ce soir, après le boulot ? Ça te dirait qu'on aille boire un coup au *Noir*, histoire de faire connaissance ?

OK : là, ça devient ridicule…

Je la regarde droit dans les yeux en attendant la chute du sketch, redouble d'efforts pour empêcher ma mâchoire de se disloquer.

Mais la chute ne vient pas…

Elle est sérieuse…

—Tu es sérieuse, là?

Elle me sourit, puis fait «oui» de la tête.

—Bien sûr que je suis sérieuse… Pourquoi est-ce que ça t'étonne tant que ça?

Je réponds du tac au tac:

—Hmm… parce que tu me détestes, peut-être?

Merde, Olivia! C'est elle qui doit déraper, pas toi!

—Pardon? Je… peux savoir ce qui te laisse penser ça?

C'est pas vrai… Je rêve ou elle me prend pour une conne?

Je me tourne vers Taryn et croise les bras. Je ne suis pas d'humeur, ce soir. Je ne devrais même pas être ici, d'ailleurs: Cash et moi sommes rentrés de la maison de mon père –à Salt Springs, en Géorgie–, il y a à peine quelques heures et, comme il n'était pas dit que je reviendrais, Gavin, le gérant à mi-temps de l'*Hypnos Club* –la boîte de nuit de Cash à Atlanta–, avait pris la relève derrière le bar… Pourtant, je suis ici ce soir à remplacer Marco, alors que j'aurais mille fois préféré m'abandonner nue aux bras puissants de Cash… En un mot comme en cent: je n'ai pas le temps de jouer aux gamines de six ans.

—Écoute: je ne sais pas de qui tu te paies la tête, là, mais si c'est de moi, laisse tomber tout de suite. Je ne suis pas dupe.

Taryn écarte ses lèvres couleur rubis comme si elle s'apprêtait à riposter, puis se ravise et referme la bouche. Son expression de samaritaine innocente a cédé la place à son air de garce habituel… Puis elle semble se radoucir et pousse un profond soupir.

—OK, j'avoue avoir été un tantinet jalouse quand tu as commencé à bosser ici. Je ne sais pas si tu étais au courant, mais Cash et moi, on est sortis ensemble. Il y a encore quelques semaines, on était encore un peu en transition, disons… et j'ai eu peur que tu viennes foutre la merde entre nous. Maintenant, je sais que ce n'est pas le cas, donc… Et puis, de toute façon, tu n'as

11

pas l'air d'avoir retenu son attention plus que ça… Et même si c'était le cas, il a quelqu'un en vue, donc…

Voilà qui pique ma curiosité.

— Oh? Il a quelqu'un en vue?

— Ouaip! Je l'ai vu traîner deux ou trois fois avec une blonde, et il a l'air d'avoir pas mal la tête ailleurs, en ce moment : ça lui ressemble pas. D'ordinaire, il est pas spécialement du genre exclusif…

— Ah?

— Clairement pas, non! Entre nous, je le savais en me jetant dans la gueule du loup… Si une fille s'engage dans une relation avec Cash en pensant pouvoir le changer ou être à ses yeux la seule et unique, elle est aussi cruche que pourraient le laisser supposer ses mèches.

— Ses mèches? Blondes? Tu dis ça à cause de la fille qu'il fréquente en ce moment?

Taryn hausse les épaules.

— Entre autres…, répond-elle en désignant ses cheveux d'un doigt, puis en levant un sourcil. Cash a du mal à résister aux blondes.

J'acquiesce et lui souris, tâchant de ne pas avoir l'air affectée par ses dernières révélations.

— Qu'est-ce qui te fait dire qu'il ne va pas s'enticher de l'une d'elles et se poser pour de bon?

Elle part d'un rire sans conviction.

— Je connais Cash. Il a le sang chaud. Les types comme lui ne changent pas, et aucune fille ne pourra rien y faire. Jamais. Ils sont comme ça, et c'est en partie pour cette raison qu'ils sont irrésistibles, d'ailleurs : on flashe toutes sur ce qu'on ne peut pas avoir, non?

Je souris de nouveau, mais reste silencieuse. Au bout de plusieurs secondes de silence, elle prend mon torchon et essuie sur le bar un cercle humide laissé là par un verre.

—Enfin bref : l'idée, c'est que tout ça, c'est du passé. Je suis prête à enterrer la hache de guerre.

—Contente de l'entendre, parviens-je à articuler, malgré la boule d'angoisse qui m'enserre soudain la gorge.

Je m'occupe en prenant de l'avance sur quelques tâches ménagères : l'*Hypnos Club* ne devrait fermer que dans une heure, mais je sais que si je veux tenir aussi longtemps, je vais devoir faire taire les doutes qui embrument mon esprit en focalisant mon attention sur autre chose.

Tu savais que c'était un bad boy, Olivia… C'est justement pour ça que tu as essayé de garder tes distances et de ne pas t'impliquer…

Je sens un désarroi insidieux et glacial ramper au fond de mes tripes tel un serpent venimeux. Et puis, soudain, s'élève dans ma tête la voix de la raison ; à moins que ce ne soit celle du déni…

Après tout ce qui s'est passé ces dernières semaines, comment est-ce que je peux douter de ses sentiments pour moi ? Cash n'est pas du genre à feindre l'affection. Tout ce qu'il m'a dit, tout ce que nous avons partagé, c'était authentique… Profond, aussi… Qui plus est, Taryn n'est qu'une garce psychotique qui n'a pas la moindre idée de ce qui s'est passé entre Cash et moi ! L'encre de ses tatouages a dû migrer dans son cerveau et noyer ses neurones…

Même si je sais que tout ce dont je viens de me persuader est vrai, je peine à me défaire de la sensation de mal-être qui baigne mon corps entier… et menace de noyer mon cœur.

Une autre voix dans ma tête – celle de la raison, soit cette partie de mon âme qui a appris à prendre du recul à force de souffrir – s'élève et remue le couteau dans la plaie.

Combien de fois est-ce que tu vas tomber dans le panneau ? Succomber au même baratin ? Au même genre de types ?

Mais Cash est différent. Je le sais. Au fond de moi, j'en suis convaincue. L'habit ne fait pas le moine, non ? Alors, certes, l'habit de Cash est le même que celui de mes ex, mais, sous le tissu, sous la bure, je suis sûre que se cache un cœur différent des autres. Et riche de tant de trésors…

Tandis que je nettoie la grille de la pompe à bière, je jette un regard circulaire sur le club plongé dans une semi-pénombre, fouillant du regard la foule – chaque minute moins dense – à la recherche de Cash. Et voilà que lorsque je le repère enfin, c'est pour apercevoir une blondasse aux seins agressifs se jeter à son cou et se frotter contre son corps d'une manière un brin trop suggestive à mon goût. Je serre les dents et me retiens de bondir par-dessus le comptoir, me ruer vers elle et arracher sa tignasse.

Très vite, cependant, ma rage s'apaise : Cash dit quelque chose à la fille puis, même s'il lui sourit, lève les bras, retire ceux de la blonde de ses épaules, puis recule d'un pas. Je pousse un soupir de soulagement, mais il en faudra davantage pour me faire oublier les propos inquiétants de Taryn.

Quelle merde !

La demi-heure suivante, mon moral coule chaque seconde un peu plus. Même l'attitude étonnamment sympathique de Taryn – bien décidée, semble-t-il, à ne pas endosser son costume de garce – ne m'aide pas à surnager, à tel point que je me demande si, après le boulot, je ne ferais pas mieux de passer la nuit dans l'humble maison de Marissa, ma peste de cousine.

Le temps passe. Alors que je nettoie le bac où sont entreposées les tranches de citron, je continue de m'interroger sur l'attitude à adopter vis-à-vis de Cash… Au moment où je commence à me demander si je ne suis pas légèrement bipolaire, un *shooter* glisse le long du comptoir, jusqu'à moi. Je lève les yeux et aperçois Taryn, tout sourires, un verre à la main.

—Chut…, lance-t-elle en m'adressant un clin d'œil. C'est notre petit secret. Et puis, c'est bientôt la fermeture de toute façon.

Elle sort un billet de dix de sa poche et le jette sur le comptoir.

Au moins, elle paie…

En temps normal, j'aurais probablement refusé avec un sourire poli, mais j'avoue qu'un *shooter* me paraît être une excellente idée pour me calmer un peu et me libérer de mes idées noires.

Je m'essuie les mains sur mon torchon et m'empare du petit verre.

Taryn lève le sien et me sourit.

—*Salut!* s'exclame-t-elle avec un regard de connivence.

Je lève mon verre, et nous avalons cul sec la liqueur. Inutile de lui demander ce qu'elle nous a servi, tant je reconnais aussitôt le long de ma gorge la brûlure caractéristique de la vodka.

Taryn lâche un «Aaah!» théâtral, puis me sourit.

—Ce soir, on sort toutes les deux, OK? Tu m'as l'air d'avoir bien besoin de t'éclater un peu.

Avant que je puisse lui répondre, Cash nous interrompt.

—Olivia? m'interpelle-t-il, debout dans l'encadrement de la porte de son bureau. Tu pourrais venir me voir avant de partir, s'il te plaît? J'aimerais qu'on discute de deux ou trois trucs.

—OK, lui lancé-je, tremblante d'excitation, de désir et d'appréhension.

Sitôt qu'il a refermé la porte, je me tourne vers Taryn.

—Une prochaine fois?

—Pas de souci, me répond-elle avec un sourire. Je termine ce que j'ai à faire et je file.

Elle retourne de son côté du bar, et l'idée me traverse l'esprit qu'il ne serait peut-être pas si saugrenu d'imaginer que nous puissions devenir amies…

Allez savoir…

Je lambine un peu: je préférerais que Taryn ait terminé son boulot, avant que j'aille «voir» Cash.

—Ta-daa! s'exclame-t-elle en jetant son torchon dans le chauffe-serviettes. Bon! Je me casse, Liv. J'aurais aimé que tu viennes, mais le devoir t'appelle.

Elle incline un peu la tête, pose le regard sur la porte du bureau de Cash, puis lève les yeux au ciel. Elle se baisse ensuite pour récupérer son sac sur une étagère fixée sous le comptoir, puis contourne le bar jusqu'à se retrouver nez à nez devant moi ; là, elle pose les deux paumes sur la surface luisante, se penche en avant et produit deux petits bruits de bises discrets, faisant mine de gratifier chacune de mes joues d'un petit baiser.

— Bonne nuit, poupée.

Tandis que je la regarde s'éloigner, passer le pas de la porte et disparaître dans la nuit, je ne peux empêcher mon scepticisme assoupi de revenir à la charge.

Changer à ce point de personnalité, c'est à se vriller le cerveau, non ?

À peine le bruit de la porte a-t-il retenti que Cash sort de son bureau, l'air sévère et résolu. Il se dirige d'un pas décidé vers la double porte de l'établissement et la referme derrière Taryn.

L'espace de quelques secondes, toutes mes inquiétudes se volatilisent avec autant d'aisance que ses longues enjambées engloutissent le sol sous ses pieds. Rien que de le voir bouger, je suis hypnotisée : chaque pas, ses jambes musculeuses impriment leur puissance dans le tissu de son jean, et ses fesses parfaites viennent épouser l'une après l'autre ses poches arrière. Ses épaules carrées s'élèvent, sculpturales, au-dessus de sa taille mince et ciselée…

Et il se tourne vers moi.

Je crois que je ne me ferai jamais à son physique de rêve, à sa beauté à couper le souffle. Ses yeux presque noirs transpercent les miens et laissent derrière eux des traînées de braise. Tandis que Cash se dirige vers moi, il ne me quitte pas du regard.

Arrivé près du bar, il pose les mains sur le comptoir et se lance par-dessus, comme à son habitude, pour atterrir à côté de moi. Sans un mot, il me jette sur son épaule, puis longe le bar en direction de l'appartement qu'il occupe au fond du club.

Je sens mon cœur s'affoler, tandis qu'il me transporte jusqu'à la chambre qui jouxte son bureau. Le désir et l'appréhension s'affrontent en moi, mais mon esprit ne peut s'empêcher de ruminer ses incertitudes. Au moment précis où je me demande s'il vaut mieux que je rentre chez moi ou que j'abandonne sur-le-champ toute pensée rationnelle, Cash me pose devant lui.

Aussitôt, ses lèvres caressent les miennes et tous mes doutes s'envolent. Il me repousse contre la porte, et je la sens se fermer derrière moi.

Là, il prend mes mains, lève mes bras au-dessus de ma tête, et emprisonne mes poignets de ses longs doigts. De sa main libre, il trace une ligne brûlante le long de mes côtes, effleure du pouce mon téton déjà tendu par l'excitation, mon ventre, puis taquine l'ourlet de mon débardeur.

Sa main s'ouvre, s'aventure dans mon dos, puis sous l'élastique, lâche, de ma culotte, puis ses doigts ouverts glissent sans mal jusqu'à mes fesses nues et les empoignent.

Tandis qu'il embrasse ma lèvre inférieure, il m'attire contre lui et cale ses hanches contre les miennes.

— Tu imagines combien ça a été difficile pour moi de te laisser travailler, ce soir ? De savoir que je ne pouvais ni te toucher, ni t'embrasser... Pas même te regarder, halète-t-il contre ma bouche ouverte. Je n'arrêtais pas de t'imaginer nue en train de gémir, ma langue entre tes cuisses.

À ses mots, mon ventre s'embrase. Cash lâche mes poignets, mais, plutôt que de le repousser, je passe mes doigts dans ses cheveux et l'embrasse à pleine bouche. Il défait le bouton et la fermeture Éclair de mon jean... et une vague d'excitation déferle en moi.

— Ça ne fait que quelques heures, murmure-t-il, et, pourtant, je n'arrive plus à penser à autre chose qu'à ta saveur et à la sensation que j'éprouve lorsque je suis en toi... Quand je te sens si brûlante... et prête.

Au moment même où une fièvre envoûtante me saisit, une voix s'élève au-dehors.

— Nash ?

C'est Marissa – ma cousine –, qui tambourine contre la porte intérieure du garage. Cash détache ses lèvres des miennes et place un doigt devant ma bouche pour me faire taire.

— Nash ? hurle-t-elle en martelant la porte de plus belle. Je sais que tu es là ! La porte du garage est ouverte, et ta voiture est juste ici.

Cash lâche un grognement sourd.

— Et merde ! Manquait plus qu'elle débarque…, murmure-t-il.

Je commence à m'affoler : j'ai beau savoir que Cash et Nash sont les deux visages d'une seule et même personne – que Cash a endossé l'identité de son frère jumeau à la mort de ce dernier –, le fait que Marissa l'ignore pourrait nous poser un problème : d'autant plus qu'elle ignore ce qui se passe entre Cash et moi.

— Qu'est-ce qu'on fait ? Elle va tout découvrir !

Cash soupire, se redresse, puis passe une main dans ses cheveux ébouriffés. Heureusement pour nous, qui connaît Cash ne s'étonnerait jamais de le voir ainsi : cela colle à son style… Aucun risque pour qu'on m'accuse de l'avoir décoiffé.

Quoi qu'il en soit, si mon corps est prêt à se livrer à toutes les folies, mon esprit s'ancre froidement dans la réalité.

— Le mieux, c'est de faire comme si tu étais en train de fermer la boutique. De mon côté, je vais réfléchir à quoi lui servir à propos de Nash.

— OK, lâché-je en rajustant ma tenue et ma coiffure.

— Je suis vraiment con d'avoir ouvert le garage aussi tôt. Je voulais y garer ta voiture après le départ de Taryn.

Il soupire une fois de plus, puis secoue la tête, dépité. Lorsqu'il relève les yeux vers moi, c'est pour m'adresser un regard brûlant de désir.

18

—Ça ne veut pas dire que j'en ai fini avec toi…, me promet-il, avant de se pencher vers moi et de me mordiller l'épaule.

Aussitôt, un frisson parcourt ma peau nue pour aller se perdre entre mes cuisses. Cash sait exactement quoi faire et quoi dire pour me rendre dingue.

Et merde, Olivia… Tu es faible…

2

CASH

JE DOIS REDOUBLER DE VOLONTÉ POUR ABANDONNER OLIVIA et aller à la porte répondre à Marissa. Quand je suis avec Olivia, j'ai l'impression de m'isoler dans une bulle où seule la perfection a droit de cité ; une bulle de vie, pleine et enivrante, qui me porte loin de l'agitation, du mensonge et de la crasse morale de ma double vie. Sortir de ce refuge me fait chaque fois l'effet d'un coup de poignard.

Je me passe une nouvelle fois la main dans les cheveux. Mon érection aurait pu poser un problème si la voix de Marissa n'en avait pas eu rapidement raison… Encore dix secondes de ses hurlements et je finis impuissant à vie.

La mâchoire serrée, je me rue vers la porte qui donne sur le garage et l'ouvre à toute volée sans dissimuler mon agacement. Marissa s'apprêtait à frapper de nouveau : un dixième de seconde de plus, et ses phalanges m'atterrissaient droit sur le nez.

— Oh…, lâche-t-elle en reculant d'un pas, manifestement déstabilisée par ma soudaine entrée en scène. Cash…, reprend-elle, après s'être raclé la gorge. Je suis navrée d'avoir été aussi insistante, mais il faut absolument que je voie ton frère. Tout de suite. Il ne répond pas à mes coups de fil : j'exige une explication !

À mesure qu'elle parle, elle semble un peu plus hors d'elle. Sa voix suraiguë et la ligne crispée de ses lèvres la trahissent.

— Désolé, Marissa, mais il n'est pas là. Il a laissé sa caisse ici hier soir et n'est pas encore passé la récupérer.

— Pourquoi est-ce qu'il a laissé sa voiture ici ? Où est-il allé ? demande-t-elle, manifestement sceptique.

Elle soupire. Marissa n'a pas l'habitude de prendre les choses à cœur à ce point, de s'impliquer autant. D'ordinaire, son attitude ne connaît que peu de variations et suit un cycle bien rodé : elle passe de la garce à la chieuse, vire à la princesse blasée, puis enchaîne ainsi en reprenant à la première étape. Aussi surprenant que cela puisse paraître, sa personnalité n'a pas plus de nuances que ça.

— Bon, je vais continuer à harceler son téléphone…, annonce-t-elle, les yeux tournés vers la voiture de Nash.

Lorsqu'elle se retourne vers moi, elle semble suspicieuse.

— Je le trouverai, reprend-elle. D'une manière ou d'une autre. Navrée de t'avoir dérangé, Cash.

C'est un mensonge : elle n'est pas désolée le moins du monde de me les avoir brisées. Et cette menace ? Oh, que j'ai hâte de m'y frotter !

Elle commence à s'éloigner, puis s'arrête et se retourne vers moi.

— Olivia est encore ici ? J'ai vu sa voiture devant la boîte.

— Oui, elle fait la fermeture, pourquoi ?

— Je lui ai laissé plusieurs messages qui sont restés sans réponse. Dès que je suis arrivée à l'aéroport, je l'ai appelée, j'ai filé chez Nash, et comme il n'était pas là, je suis venue ici.

— Tu veux que je lui passe un message ?

Pensive, elle fronce les sourcils et pince les lèvres.

— Ça ira, merci. Dis-lui juste qu'on se verra à la maison. Elle ne devrait plus en avoir pour très longtemps, non ?

Je ne frappe pas les femmes –jamais–, mais pendant une fraction de seconde, Marissa me donnerait presque envie de tenter l'expérience. Non seulement elle a fait irruption ici au pire moment, mais, en plus, elle se paie le luxe de me gâcher la nuit.

—Hmm, non… Elle devrait avoir terminé bientôt. Tu peux filer, je lui passe le message et la libère le plus vite possible.

Marissa m'adresse un sourire calculateur et satisfait. Je grince des dents : je ne supporte pas de jouer le trou du cul poli et détaché.

—OK, merci Cash.

J'esquisse un sourire diplomatique et attends qu'elle se soit retournée pour fermer la porte. J'aurais nettement préféré la claquer en crachant un chapelet d'injures, mais quel intérêt ?

Bordel…

Quand je m'approche d'Olivia, elle est en train de ranger les bouteilles d'alcool : la dernière tâche de chaque soirée au club. Elle se retourne vers moi et, l'espace d'un instant, je lis dans ses yeux quelque chose d'inhabituel ; comme une absence. Mais très vite, elle se remet à sourire, et je balaie la sensation hors de mon esprit.

Ce sourire… Chaque fois, mon cœur s'emballe autant que le matos qui déforme la braguette de mon jean.

Je me dirige vers elle et m'arrête à sa hauteur, mais de l'autre côté du comptoir. Je l'observe, tandis qu'elle range la dernière bouteille sur l'une des étagères. Après s'être assurée, d'un regard expert, que tout est en ordre et que le comptoir est propre, elle se tourne vers moi.

—Je t'ai déjà dit que je te trouvais magnifique ?

Gênée, elle détourne les yeux une demi-seconde, puis tourne de nouveau la tête vers moi. Elle a encore du mal à assumer les compliments et, honnêtement, j'ai du mal à le comprendre. Qu'une personne aussi irrésistible ne parvienne pas à prendre conscience de son pouvoir d'attraction, ça me dépasse. Et pourtant…

Le pire, c'est que cela la rend encore plus désirable.

—Une ou deux fois, peut-être… Oui, dit-elle avec sur le visage cet air de fausse timide qui m'envoûte systématiquement.

Je n'ai qu'une envie : l'embarquer dans ma chambre. Le problème, c'est que nous n'aurions droit qu'à une étreinte rapide, et elle vaut mieux que ça.

Bien mieux.

Elle m'observe du coin de l'œil, se retourne, puis marche à pas lents jusqu'à la porte du bar. Je mime son déplacement, le comptoir défilant entre nous.

—C'est vrai… Je te l'ai déjà dit. Je me souviens t'avoir avoué combien je te trouvais sexy, aussi. On était devant un miroir, si j'ai bonne mémoire.

Ma queue s'agite derrière la fermeture Éclair de mon jean rien qu'en repensant à l'instant où j'étais entré en elle, plaqué contre ses fesses, dans les toilettes de *Chez Tad*.

—Ça te rappelle quelque chose ? ajouté-je.

Tandis qu'elle avance vers l'extrémité du comptoir, elle continue à m'étudier du coin de l'œil. Il ne m'en faut pas davantage pour voir briller dans ses yeux un désir intense. Je sais qu'elle s'en souvient aussi bien que moi.

Elle se racle la gorge.

—Hmm… Oui. Ça me dit vaguement quelque chose, me répond-elle, un sourire coquin sur les lèvres.

Elle me cherche ou quoi ?

—Vaguement ? Peut-être que je n'ai pas poussé l'exploration assez loin…

—Je te rassure, tu as marqué les esprits dans la région…

—J'aurais peut-être dû prendre le temps de trouver des mots plus adaptés à l'oreille de mon hôtesse… des mots plus crus.

—Ils ont fait plus que leur effet…

—Oh… Le souvenir te revient plus clairement, alors ?

—Très clairement, oui…

—Si tu me mens, je peux te refaire une démonstration, tu sais.

—Je ne te mens pas : ce souvenir est gravé dans ma mémoire. À jamais.

—Je pense quand même qu'on devrait recommencer : ça te permettrait d'éclairer les zones d'ombre… J'aimerais te savoir pleinement *pénétrée* par ce souvenir… Pour être sûr que tu ne l'oublies pas.

Son sourire cède la place à un petit rire discret. Au même instant, nous nous retrouvons au bout du comptoir. Posté près du battant de la porte, je l'empêche d'aller plus loin.

—Je doute que… ce souvenir puisse me *pénétrer* plus vivement.

—Je suis assez convaincu du contraire… Et la seule façon de tirer ça au clair, ce serait d'essayer. Je ne sais pas pour toi, mais, personnellement, je suis à ton entière disposition. Je suis un homme dévoué, tu sais. Et j'aimerais t'offrir toute la mesure de mon dévouement…

Lorsque les lumières s'éteignent, une lueur indéterminée zèbre le visage d'Olivia, et elle semble s'apaiser. J'ai à peine le temps d'être intrigué qu'elle change de sujet.

—Oh! J'ai presque failli oublier de te demander ce que voulait Marissa…

Une fois de plus, j'ai le sentiment que quelque chose cloche.

Visiblement, ce n'est pas le moment de lui parler de ce qui la chiffonne. En tout cas, quelque chose ne tourne pas rond…

—Ah, Marissa… Elle cherchait Nash, mais ça, tu l'avais deviné. Elle voulait te parler, aussi. Elle a dit qu'elle t'avait laissé plusieurs messages, et qu'elle t'attendrait chez vous pour discuter.

Si je ne suis pas à côté de la plaque, Olivia semble soulagée…

—Oui, mon téléphone était dans mon sac, et je n'ai pas encore relevé mes messages. Bon… mieux vaut que je rentre vite, dans ce cas, histoire de voir ce qu'elle me veut. Tu te rends compte, si elle découvrait le fin mot de l'histoire? Je n'ose pas imaginer le désastre si elle te démasquait…

—Olivia, comme je te l'ai dit, je laisse tomber ce double jeu. Je ne suis plus que Cash, désormais. Et puis, je ne suis même plus sûr de pouvoir aider mon père. Et si cela implique d…

—Non, Cash! Non! C'est trop important! C'est de ton père qu'on parle: de ce type qui purge à tort une peine de prison pour les meurtres de ta mère et de ton frère. Alors, non, tu n'abandonnes rien du tout! Ne lâche pas pour moi ou pour qui que ce soit d'autre… Il faut juste qu'on soit plus prudents.

Au moins, elle n'a pas l'air de vouloir m'abandonner à mon enfer… Elle se sent impliquée, elle aussi. Dans toute cette histoire… et avec moi.

—OK… OK, je ne lâche pas. Mais, tu sais que si je devais le faire pour te protéger, je n'hésiterais pas.

—Pas la peine de te sacrifier pour moi, Cash : je vais bien. Il n'y a aucune raison de s'inquiéter. Contentons-nous de prendre les choses comme elles viennent.

J'ai la sensation qu'il y a quelque chose à comprendre en filigrane des propos d'Olivia, mais je n'arrive pas à saisir quoi.

Pas de doute : elle me cache quelque chose.

—Alors? Tu vas parler de nous à Marissa? me demande-t-elle.

—Je ferai ce que tu veux que je fasse. Personnellement, je me fiche de qui est au courant, mais je sais que ça compte pour toi. En particulier, tu n'aimerais pas que ça s'ébruite ici, à l'*Hypnos*.

—Tu comprends pourquoi, n'est-ce pas? Je n'ai aucune envie qu'on me considère comme la fille qui se tape le boss.

—Je comprends : c'est pour ça que j'ai gardé mes distances toute la soirée. Et Dieu sait que c'est difficile pour moi de ne pas te toucher… De ne pas te regarder. Je ne voulais pas te mettre mal à l'aise.

Les joues d'Olivia se colorent d'un rosé attendrissant.

—C'est vrai?

—Quoi donc?

—C'est vraiment difficile pour toi de ne pas me regarder?

—La vache! Comment on peut être aussi intelligente et bornée à la fois? Je ne t'ai pas suffisamment fait comprendre quel effet tu me fais?

Je pensais que c'était le cas, mais peut-être que ce n'est pas si clair que ça pour elle. Je vais peut-être devoir me faire plus persuasif.

Olivia hausse les épaules et détourne les yeux. Je me rapproche, puis me penche vers elle jusqu'à ce qu'elle me regarde.

—Eh, je sais que notre histoire débute à peine et que tu te trimballes tout un tas de mauvais souvenirs de mecs dans mon genre...

Elle veut m'interrompre, mais je la fais taire en posant un doigt sur ses lèvres.

—J'espère simplement que tu commences à te rendre compte que je suis plus que ça ; que je ne suis pas celui pour lequel tu m'as pris quand on s'est rencontrés. Souviens-toi que je dois en permanence jouer un rôle... deux, même, et que la mascarade aurait été bien plus difficile encore à mettre en scène si je n'avais pas incarné deux personnages si extrêmes. Tu sais que quelque part, je suis tout à la fois ces deux types aux caractères opposés... sans être aucun des deux.

—Comment est-ce que je pourrai savoir un jour qui tu es vraiment, alors ?

Je lis de l'inquiétude dans ses yeux, et je me demande ce qui a pu se passer en quelques heures pour que ce sentiment se soit immiscé en elle. Je pensais que nous avions dépassé le stade de la méfiance...

Je caresse la peau satinée de ses joues d'un revers de main.

—Tu le sais déjà. Il faut juste que tu ne prêtes pas attention à la façon dont j'interagis avec les autres quand on est en public. Il faut que je sauve les apparences si, comme tu sembles le souhaiter, je veux avoir une chance de parvenir à mes fins.

Elle m'observe avec attention. Je donnerais cher pour lire dans ses pensées... Pourtant, j'ai le sentiment qu'il pourrait se passer un millier d'années sans qu'elle m'en dise rien.

Au bout d'une éternité, elle secoue la tête.

—Je veux que tu ailles jusqu'au bout, et je te promets de faire mon possible pour regarder au-delà des apparences. C'est juste qu'il va peut-être me falloir un peu de temps pour m'y faire.

27

—Je comprends. Je n'ai pas la vie la plus facile qui soit, mais c'est celle que j'ai choisie il y a sept ans, pour mener à bien mon entreprise.

—Je sais… et c'est pour ça que je vais faire mon maximum.

—Je ne t'en demande pas plus.

Un silence inconfortable nous enveloppe soudain. Insupportable, même. J'ai le sentiment tenace d'un non-dit.

—Bon, eh bien… Je crois que je vais rentrer, dans ce cas. Marissa m'attend.

Non seulement je n'ai pas la moindre envie qu'elle parte, mais, en plus, je ne supporte pas que notre entrevue s'achève ainsi. J'ai horreur de laisser des choses en plan. J'ai déjà assez de problèmes à moitié résolus dans ma vie…

—Laisse-moi au moins te raccompagner.

—Marissa a vu ma voiture ; elle va se demander pourquoi tu fais le chauffeur.

—Certes, mais ce serait oublier que ton TDM ne démarre qu'une fois sur quatre.

—Mon TDM ?

—Ton tas de merde.

Elle sourit.

—Un point pour toi.

—Contente-toi de lui dire que tu n'as pas réussi à démarrer et que j'ai bien été obligé de faire le voyage. Je peux aller trifouiller l'une des clés à bougie si tu veux que ça fasse plus crédible.

Son sourire se fait plus appuyé.

—Tu t'en donnes, du mal, pour l'insignifiante petite Olivia…

—Ne prends pas la grosse tête : je fais ça par intérêt. T'auras une faveur à m'accorder, comme ça.

—Ah oui ? dit-elle en levant un sourcil.

—Hmm, hmm, acquiescé-je en passant mes bras autour de sa taille.

—Quel genre de faveur ?

—Ça, mademoiselle, il va vous falloir attendre un peu avant de le savoir.

Lorsque je penche ma tête vers elle, c'est pour découvrir ses lèvres chaudes et douces, mais pas aussi volontaires que je m'y étais attendu. Quelque chose la tracasse encore. Malheureusement, je vais devoir ronger mon frein jusqu'à ce que j'en découvre un peu plus.

Je relève la tête et dépose un baiser sur son front.

—Prends tes affaires. Je t'attends dans le garage.

Plutôt que de la regarder se préparer, je me tourne vers la double porte d'entrée... et peste intérieurement : son départ me fait l'effet d'un coup de lame en plein ventre.

3

OLIVIA

Je resserre mes bras autour de la taille de Cash et sens la moto vrombir sous mes fesses. Je reconnais que cette conversation m'a fait du bien. Je crois qu'il va simplement me falloir un peu de temps avant d'être sûre que je ne suis pas tombée une fois de plus dans le piège tendu par un bad boy. Pour autant, j'ai le sentiment que si un homme sur cette planète mérite bien que je prenne le risque de me griller de nouveau les ailes, c'est Cash.

Je souris en repensant au moment où, un peu plus tôt, dans le garage, il a retiré l'une des clés à bougie, avant de la fourrer dans sa poche. Il s'est ensuite redressé et m'a adressé un clin d'œil complice.

Sans tarder, il est monté sur sa bécane et, un sourire malicieux sur les lèvres, a tapoté le siège derrière lui.

— Ce que je ne ferais pas pour pouvoir me glisser entre tes cuisses.

Je n'ai pas pu réprimer un éclat de rire. Comment réagir autrement face à son sourire irrésistible où se lisait l'insouciance ? C'était exactement ce dont j'avais besoin à cet instant. De l'insouciance. Même l'espace de quelques minutes seulement. Cash m'offre si souvent ces moments de légèreté et de liberté…

Lorsque nous arrivons dans les rues familières de mon quartier, je sens mon cœur se serrer. J'aime être aussi près de Cash.

Je me sens à l'abri contre lui, et j'aimerais que ce voyage n'en finisse jamais.

Mais…

Cash longe le trottoir, gare la moto, puis fait taire le moteur. J'attends un peu, histoire de voir s'il va caler la béquille contre le macadam. Comme il ne le fait pas, je soupire et glisse au bas du siège.

Cash me regarde défaire l'attache qui enserre mon menton, retirer le casque, puis le lui tendre. Il le prend, l'esquisse d'un sourire sur les lèvres, mais ne l'enfile pas tout de suite. Je suis sûre qu'il pense à la même chose que moi…

Comment est-ce qu'on va faire pour se quitter sans s'embrasser?

Après tout ce que nous avons vécu ensemble ces dernières semaines, après tous les mots et les baisers échangés, toutes les nuits et les matins partagés, cela paraît si absurde de se quitter comme deux amis… Au creux de mon ventre naît un étrange pressentiment : cette séparation n'est pas de bon augure.

— Merci beaucoup, lancé-je, gênée, essayant de ne pas me laisser décontenancer par l'air renfrogné de Cash. On se voit demain ?

— Tu viens bosser, hein ?

— Oui.

— Je t'appelle demain matin, ça te va ?

— Super.

Au moins, ce n'est pas un adieu…

Le silence devient pesant.

— Je partirai quand tu seras à l'intérieur. Je ne comprends pas pourquoi Marissa n'a pas laissé les lumières allumées pour toi.

Par-dessus mon épaule, je lance un regard rapide à l'appartement.

— Tu es vraiment surpris que ma cousine ait pu faire preuve d'égoïsme ?

Cash sourit, agacé.

— Non, mais… La vache, quelle garce !

Je soupire.

—Comme tu dis. Enfin, elle est comme ça… Il y a des choses qui ne changeront jamais.

Le silence, encore.

—Bon, eh bien… on se voit demain, alors. Merci de m'avoir raccompagnée. Passe une bonne nuit.

—Toi aussi.

J'acquiesce, me balance, gênée, d'avant en arrière, puis tourne les talons et me dirige jusqu'à la porte d'entrée. Je n'ai fait que quelques pas lorsque Cash m'interpelle. Je me retourne aussitôt, des papillons dans le ventre.

Il ne supporte pas cette séparation plus que moi…

J'avance à pas rapides dans sa direction et ne peux m'empêcher de ressentir une pointe de déception lorsqu'il me tend le sac que j'avais oublié à l'arrière de la moto.

—N'oublie pas tes affaires.

Je souris poliment, prends le sac, puis me tourne de nouveau vers l'appartement. Le plaisir que j'ai ressenti en l'entendant crier mon prénom se change très vite en malaise.

Comment les choses ont-elles pu se dégrader si vite ?

Les commentaires de Taryn et les mises en garde de ma mère reviennent me hanter, avec le souvenir douloureux de mes erreurs passées.

Tout en approchant de la porte d'entrée, je fouille dans mon sac pour y trouver mes clés. Perdue dans mes pensées, je glisse celle de l'entrée dans la serrure, ouvre la porte, puis me retourne pour faire signe à Cash. Mais il n'est plus sur sa moto : la béquille soutient la bête qui ronronne doucement, et Cash se rue sur le trottoir dans ma direction. Avant même que j'aie le temps de m'en rendre compte, je me retrouve plaquée contre la porte : ses lèvres sont sur les miennes et ses doigts dans mes cheveux.

Je ne résiste pas une seule seconde et lui succombe tout entière. Mon soulagement de le savoir aussi peiné que moi de cet au revoir décevant n'a d'égal que mon envie de l'attirer jusque dans ma chambre et de faire comme si nous étions seuls au monde.

Mais avant que je puisse succomber à ce désir, Cash se redresse pour me laisser reprendre mon souffle : il n'en fallait pas plus pour que la voix de la raison se fasse entendre.

Il me sonde de son regard plus ténébreux que la nuit qui nous enveloppe, tandis que ses mains glissent le long de mon cou, de mes épaules et de mes bras, pour finalement s'emparer des miennes.

— J'ai une faveur à te demander, murmure-t-il en levant mes mains vers sa bouche.

— Quel genre de faveur ?

Cash dépose sur mes doigts des baisers brûlants sans me quitter des yeux.

— Rêve de moi, cette nuit, dit-il d'une voix douce.

Il me regarde, attendant ma réponse. Comme je ne trouve pas les mots, je me contente d'acquiescer. Inutile de lui dire que je ne rêve jamais de rien ni de personne d'autre que de lui. Personne.

— Rêve que mes lèvres caressent ta peau.

Il tend l'un de mes doigts et en embrasse l'extrémité. Sa voix de velours et ses mots aphrodisiaques me font chavirer.

— Rêve que je passe ma langue entre tes cuisses.

Il sort doucement la langue et lape sensuellement le bout de mon doigt. Aussitôt, une vague de désir me submerge.

— Moi, je rêverai de toi… Je rêverai d'être en toi, entre tes lèvres humides et chaudes.

Comme pour m'en faire la démonstration, Cash suce délicatement mon doigt sur lequel il fait aller et venir sa langue. Ma respiration se fait saccadée.

Lentement, il libère mon doigt, mais, avant qu'il ait quitté la prison chaude de ses lèvres, le mordille. Je me consume de désir, mon sang est semblable à de la lave en fusion.

— Bonne nuit, Olivia, me salue-t-il d'une voix douce.

Et, sur ces mots, il se retourne et s'éloigne.

Les jambes en coton, je me retourne lentement vers la porte et redouble d'efforts pour chasser de mon esprit l'image de Cash avant de commettre un impair… comme lui demander de rester. J'ouvre la porte, puis tends une main pour allumer la lumière du porche d'où je pourrais me retourner pour saluer Cash…

Mais, sitôt mes yeux posés sur l'intérieur de la maison, je me fige, abasourdie.

L'étroite table installée près de l'entrée gît plateau contre terre, et la lampe qui s'y trouvait a roulé sur le sol. Renversée, la jardinière placée dans un coin du salon a été saccagée, et les plantes et le terreau répandus un peu partout dans la pièce. Les coussins du canapé sont éparpillés çà et là, deux d'entre eux ayant même fini leur course devant la porte d'entrée.

Marissa a dû arriver ici il y a quinze minutes à peine : qu'a-t-il pu se passer en si peu de temps ?

Un frisson me parcourt l'échine quand, soudain, je sens une main se refermer sur mon bras, puis me tirer en arrière. J'ouvre la bouche pour crier, mais une autre main vient se plaquer contre mes lèvres, avant même que j'aie pu émettre le moindre son.

Je sens mon cœur tambouriner dans ma poitrine, et mon esprit turbine comme jamais, tandis que j'essaie de me rappeler quelques trop vieux souvenirs d'autodéfense. Tout ce qui me revient en tête, c'est : « Frappe à l'entrejambe ! Frappe à l'entrejambe ! »

— Chut…, me susurre à l'oreille une voix familière.

Je me calme aussitôt. C'est Cash. C'est lui qui est derrière moi ; lui qui me retient.

Il me relâche doucement et vient se placer devant moi, me calant dans son dos.

— Reste près de moi, me murmure-t-il par-dessus l'épaule.

Compte sur moi !

La peur exacerbe tous mes sens, et le vrombissement lointain de la moto de Cash me renvoie au silence total qui règne dans la maison. Il n'y a pas un bruit ici. Pas même la voix agaçante de Marissa.

À pas lents, nous nous approchons du salon. Plus alerte que jamais, je balaie la pièce du regard, analysant jusqu'au détail le plus infime… D'autres indices de lutte : l'horloge hors de prix plaquée contre le mur est de guingois, et je distingue un trou dans le plâtre quelques centimètres à côté…

Lorsque le téléphone de Cash se met à sonner, je retiens de justesse un cri de surprise. Cash grogne et se met à fouiller dans sa poche à la recherche de son mobile. Après un rapide regard vers l'écran, il commence à reculer et me pousse vers la porte d'entrée.

Cash brandit alors le téléphone devant mes yeux, et j'y découvre le nom de Marissa… Mon cœur tressaille.

Il décroche.

—Salut, lâche-t-il comme si de rien n'était.

Il reste quelques secondes dans un silence lourd de tension, puis finit par baisser le téléphone et le remettre dans sa poche.

—Qu'est-ce que… Pourquoi tu as raccroché ? Qu'est-ce qu'elle t'a dit ?

—Ce n'était pas Marissa. Viens : il faut qu'on se tire d'ici…

—C'était qui, alors ? Cash, tu peux m'expliquer ce qui se passe ?

—Je te le dirai quand je t'aurai mise à l'abri.

Sur ces mots, il me traîne presque de force jusqu'à sa moto et me tend le casque. Je ne me rebiffe pas, enfile le casque, puis monte derrière Cash.

Mais juste avant qu'il démarre, je change d'avis quant à la réaction à adopter…

Hors de question qu'il me cache quoi que ce soit à propos de tout ça ! Soit nous partageons tout, soit cette histoire s'achève ici…

—Non ! lancé-je en commençant à descendre de la moto.

Cash, le bras tendu, m'empêche de quitter le siège.

—Dis-moi tout de suite ce qui se passe ou je descends.

Cash est de profil, et il y a juste assez de lumière ici pour que je le voie pincer les lèvres, exaspéré par ma rébellion soudaine. Mais je ne compte pas me laisser intimider, et fais de ma détermination une armure aussi solide qu'un diamant brut.

Je me redresse et croise les bras.

—OK! lâche-t-il d'un ton sec. Ils ont kidnappé Marissa pour nous faire chanter.

Prise de stupeur, j'en ai le souffle coupé.

—Mais, qui? Et pourquoi voudrait-on nous faire chanter?

—Je parle de la *Bratva*, la mafia russe. Ils ne nous rendront Marissa que si on leur file les registres.

—Les registres? Les livres de comptes? Je croyais que personne ne savait que tu les avais!

—Ils ne le savaient pas.

—Comment est-ce qu'ils l'ont découvert, dans ce cas?

—Ils doivent avoir des indics en prison, je ne vois pas d'autre explication. Quelqu'un qui a la possibilité d'écouter mes conversations avec mon père. On a essayé d'être vigilants, mais… s'ils nous écoutent depuis plusieurs mois, ils ont pu reconstituer le puzzle sans trop de mal. Ça n'a pas dû leur prendre très longtemps pour comprendre que je voulais utiliser les registres pour les envoyer croupir en taule. Qui plus est… la dernière fois que je suis allé voir mon père, je lui ai avoué que j'avais révélé l'existence des comptes à quelqu'un.

—Cash, non! C'est pas vrai! Mais pourquoi s'en sont-ils pris à Marissa?

Il marque une seconde de pause qui fait naître en moi une anxiété soudaine.

—Je pense qu'ils avaient l'intention de prendre quelqu'un d'autre en otage…

Lorsque je saisis le sous-entendu, je manque de défaillir.

—Qu'est-ce que tu dis? haleté-je.

—S'ils m'épient depuis un bail, ils savent probablement qui je suis. Ils ont appelé sur mon téléphone – celui de Cash – pour me parler de Marissa. S'ils ne savaient pas que Nash et moi n'étions qu'une seule et même personne, ils auraient appelé sur le portable de Nash. Après tout, Marissa est son ex-petite amie, pas la mienne, même si nos deux numéros se trouvent dans son agenda.

—Mais dans ce cas, s'ils savent qui tu es, pourquoi s'en être pris à Marissa ?

—Ils devaient savoir qu'elle était en déplacement, que tu serais la seule à être présente dans la maison. Quand elle s'est pointée à ta place, ils l'ont prise, elle. Ils voulaient m'envoyer un message.

—Quel message ?

—Que s'ils le veulent, ils peuvent te faire du mal…, précise-t-il à voix basse. Qu'ils savent que je suis à la fois Cash et Nash.

Cédant à la panique, je suis prise de nausée. Je m'inquiète autant pour Marissa que pour moi-même.

J'ai du mal à retenir mes larmes.

—Mais pourquoi est-ce qu'ils s'en prennent à nous ? Marissa et moi n'avons rien à voir avec cette histoire !

—Ce n'est pas ce que tu sais qui les intéresse. Pas vraiment… C'est ce que tu es.

—Pour Marissa, je pourrais comprendre : elle est brillante et influente, issue d'une famille fortunée… Mais moi ? Je ne suis personne. Je n'ai aucune valeur.

Cash se tourne vers moi et rive son regard dans le mien.

—À mes yeux, tu en as infiniment plus que tu le crois…

Malgré la peur qui me paralyse, ses mots parviennent à me toucher en plein cœur.

—Ils…

—Ma belle…, m'interrompt Cash. Je sais que tu meurs d'envie d'en savoir plus, mais, pour l'heure, je ne pourrais pas répondre à toutes tes questions. Qui plus est, il faut impérativement qu'on se taille d'ici. Garde tes interrogations pour toi quelques heures de plus, le temps qu'on trouve un endroit sûr où parler de tout ça plus en détail.

Cash n'attend même pas ma réponse. Il démarre sa moto et se lance à toute vitesse sur le bitume, me laissant tout juste le temps de m'agripper à lui pour ne pas tomber…

4

CASH

Lorsque je sens Olivia s'accrocher à ma taille, je me sens à la fois soulagé et coupable. Que se serait-il passé si je n'avais pas attendu qu'elle entre chez elle avant de reprendre la route? Si je l'avais raccompagnée quelques minutes plus tôt ou qu'elle était rentrée seule du boulot?

L'air glacial gèle les gouttes de sueur que l'angoisse fait perler sur mon front.

Je lâche le guidon le temps de caresser des doigts le dos d'une de ses mains. J'aimerais qu'elle comprenne que je sais combien tout ça est angoissant, et que je suis là pour elle. Et puis, c'est ma faute si elle est en danger aujourd'hui… Comment pourrais-je ne pas me sentir coupable?

Si je ne m'étais pas autant impliqué avec elle, si je ne m'étais pas à ce point laissé séduire et que j'avais limité notre relation à un simple flirt comme je l'ai fait jusqu'ici avec toutes les autres, personne ne voudrait s'en prendre à elle pour me nuire. Ce sont mes sentiments pour elle qui l'ont mise en danger. Maintenant, les crapules l'ont autant en ligne de mire que moi…

J'espère qu'il n'arrivera rien à Marissa : c'est une garce nombriliste au possible, mais elle ne mérite pas de mourir pour autant. Malheureusement, je suis sûr que c'est le dénouement qu'ils lui réservent… et qu'ils réservaient à l'origine à Olivia.

Rien que d'y penser, je sens mon estomac se serrer.

J'accélère. La seule chose qui m'importe à cet instant précis, c'est de mettre Olivia en sécurité. Lorsqu'elle sera à l'abri, je pourrai réfléchir à la suite des événements. Malheureusement, je n'ai jamais mis en place de plan d'urgence : pour tout dire, jamais je n'aurais pensé qu'un jour, ils découvriraient que j'étais en possession des registres. Tout du moins, pas avant qu'ils se retrouvent derrière les barreaux.

Ce qu'ils oublient, en revanche, c'est que je ne suis pas le dernier des cons, et que mon père a des années d'expérience derrière lui avec les types comme eux : on trouvera une solution. Il le faut.

C'est aussi simple que ça.

Je prends le chemin le plus tortueux possible pour me rendre dans le centre, à l'hôtel qui nous servira de planque. Pendant tout le trajet, je ne quitte pas des yeux mes rétroviseurs pour m'assurer que personne ne nous suit. Hors de question que je baisse ma garde.

Sitôt que j'arrive devant l'entrée fastueuse de l'hôtel, un voiturier se présente devant nous. Il est jeune et semble avoir hâte de monter sur ma bécane.

Nous descendons, je lui file discrètement un pourboire, puis l'observe tandis qu'il file garer la moto dans le parking souterrain de l'établissement. Si personne ne nous a suivis, les mafieux auront du mal à nous trouver ici. Je dois prendre toutes les précautions imaginables…

Je saisis la main d'Olivia et la guide à l'intérieur, dans le hall luxueux de l'hôtel. Me terrer ici avec elle va me coûter une sacrée blinde, mais elle vaut jusqu'à la dernière pièce que je sortirai de ma poche. Qui plus est, elle n'a peut-être jamais eu la chance de profiter d'un endroit pareil : si j'arrive à la mettre suffisamment à l'aise, peut-être qu'elle réussira à en profiter un peu… Et puis, je ne cache pas que le fait de l'avoir avec moi dans un palace pour une durée indéterminée est un bonus non négligeable à mes yeux…

Une jeune brune est postée derrière le comptoir d'accueil.

—En quoi puis-je vous aider ?

—On passe un peu à l'improviste : pas de réservation, donc. Vous auriez une suite disponible pour la semaine ?

—Une suite ? Bien sûr, monsieur. Je vérifie cela tout de suite.

Tandis qu'elle pianote sur son clavier, je baisse les yeux vers Olivia. Elle semble tenir le coup, malgré le chaos de cette dernière heure. Je la trouve pâlotte, mais, vu la panique qui doit la ronger de l'intérieur, je m'attendais à pire.

Elle lève les yeux vers moi et sourit. C'est un peu timide, crispé aussi, mais c'est déjà ça. Je m'en satisfais pleinement.

Je serre délicatement sa main et me penche pour déposer un baiser sur sa joue. Avant de me redresser, je m'attarde près de son oreille.

—Je ne laisserai personne te faire de mal. Je te le promets.

Lorsque je me redresse et rive mon regard dans ses grands yeux verts, c'est pour les voir brillants de larmes. Son menton tremblote et mon cœur se serre.

Elle souffre à cause de moi…

J'ignore si elle a peur pour elle ou pour Marissa, ou si elle est sous le choc de tout ce qui s'est passé dans sa vie ces dernières semaines, mais une émotion que j'ai du mal à déterminer l'investit tout entière. Je le perçois sans mal et ne peux que m'en sentir responsable.

Olivia serre ma main elle aussi.

C'est bon signe, me dis-je : *peut-être qu'elle ne m'en veut pas autant que je le pense de l'avoir embarquée dans cette galère. Peut-être… qu'elle ne me déteste pas autant que je le crains.*

Parce que je ne dois pas m'y tromper, tout ce qui lui arrive est ma faute.

—Monsieur, nous disposons d'une suite libre jusqu'à ce week-end. Avez-vous la carte Privilèges de l'établissement ?

—Non.

—Très bien, monsieur. Pourrais-je vous demander votre permis de conduire, ainsi que la carte de crédit dont vous souhaitez vous servir pour le règlement, je vous prie ?

Elle ne mentionne pas le prix de la suite. Je suppose que lorsque vous faites une réservation de ce type dans un hôtel de ce standing, vous savez pertinemment que cela va vous coûter une fortune. Je lui tends la carte de l'*Hypnos Club*. Elle est au nom de l'entreprise propriétaire de la boîte, elle-même protégée par diverses sociétés-écrans : personne ne peut remonter jusqu'à moi. Pour parfaire la manœuvre, je lui demande de faire la réservation au nom de cette même boîte pour des raisons de fiscalité. Elle accepte sans sourciller.

Pour la plupart des gens, ce genre de demandes est tout à fait habituel, et l'hôtesse n'a aucune raison de mettre en doute mon honnêteté. Plus d'une fois, elle jette des regards discrets en direction d'Olivia. Elle doit être convaincue que je suis un homme d'affaires qui vient passer du bon temps avec sa maîtresse aux frais de son entreprise. Mais je me fiche de ce qu'elle pense, tant que ça reste à mille lieues de la vérité.

—Voici vos clés, monsieur. Vos appartements se trouvent au quinzième étage. Les ascenseurs qui mènent aux suites se trouvent derrière le mur d'eau. Lorsque les portes se refermeront, passez vos clés devant le lecteur infrarouge et l'ascenseur vous déposera automatiquement à votre étage. Votre suite se trouvera directement sur votre gauche. Si vous avez besoin de quoi que ce soit, je serais ravie de répondre à vos attentes. Je m'appelle Angela.

—Merci, Angela. Juste une question : proposez-vous un service de chambre continu ?

—Oui, monsieur. Nous pouvons servir les repas dans les suites de jour comme de nuit.

—Très bien. Je crois que nous sommes prêts à rejoindre notre suite, dans ce cas.

— Bien, monsieur. Je vous souhaite une excellente nuit.

Après avoir récupéré la clé et le feuillet d'informations remis par Angela, je pose ma main au creux des reins d'Olivia et l'invite à se diriger vers l'un des ascenseurs. À l'intérieur, elle reste silencieuse. Je ne force pas la conversation, car je sais qu'elle n'a que des questions en tête ; des questions trop délicates auxquelles il serait inconscient de répondre dans un ascenseur public.

Lorsque la cabine ralentit, s'arrête avec douceur, puis que les portes s'ouvrent dans un chuchotement presque inaudible, je guide Olivia sur notre gauche. J'ouvre ensuite la porte de notre suite et laisse ma protégée m'y précéder.

À l'expression qui habille son visage, je devine aussitôt qu'elle n'a jamais profité du standing offert par ce genre d'établissement. La peur et l'angoisse elles-mêmes peinent à dissimuler son étonnement. Qui plus est, la suite qu'ils nous ont attribuée n'est pas des moins luxueuses… Savoir que j'ai les moyens d'offrir un tel confort à Olivia me fait du bien, même si les circonstances de notre arrivée ne sont pas idéales.

La première chose que je remarque en entrant dans la pièce, c'est la baie vitrée qui, s'élevant du sol au plafond, offre une vue splendide sur Atlanta. Droit devant nous, le salon, et, sur notre gauche, la salle à manger. Les murs des deux pièces sont parés de beige et de rouge sombre. La lumière est douce, apaisante… Conforme à mes goûts. Parce que je suis un mec, peut-être… Passé l'écran géant qui orne le salon, une double porte mène vers la chambre.

Dès que j'aperçois le guide en cuir relié de l'hôtel, je me dirige vers la table basse sur laquelle il a été déposé. Je l'ouvre à la page des menus, puis le tends à Olivia.

— Tu dois mourir de faim. Commande quelque chose au service d'étage. Je partirai quand les plats seront arrivés.

— Tu vas partir ? Où ça ?

— Je vais recevoir un nouveau coup de fil dans quarante minutes. Je préférerais me trouver au club à ce moment-là, au cas où les types sont en mesure de localiser mon téléphone. Après le coup de fil, je nous récupérerai des téléphones jetables pour qu'on soit tranquilles jusqu'à ce que j'aie réglé cette histoire.

— Réglé cette histoire ? Qu'est-ce que tu comptes faire ? Cash, explique-moi ce qui se passe, je t'en prie…

Je soupire. Une fois de plus, je m'en veux de l'avoir embarquée dans cette galère. Si seulement j'avais pu lui résister…

— Ils ont Marissa, et ils veulent les livres de comptes. Ils vont me rappeler une heure après le premier coup de téléphone.

— Tu ne peux pas leur remettre les registres en personne, Cash. Ils vous tueront tous les deux ! Appelle la police… Mon oncle est un homme influent : il sera prêt à remuer ciel et terre pour retrouver sa fille.

— Et c'est exactement pour cette raison qu'il ne doit rien savoir… Tant que toute cette histoire n'est pas réglée, j'entends. Si on attire l'attention sur l'enlèvement, Marissa sera d'autant plus en danger. Si j'arrive à me débrouiller sans esclandre, on pourra récupérer Marissa, et j'aurai le temps de réfléchir à un nouveau plan de bataille.

— Tu veux te jeter seul dans la gueule du loup ? Tu crois vraiment qu'une fois que tu leur auras donné ce qu'ils veulent, ils vont te laisser partir ? Avec Marissa, en prime ? Je ne connais peut-être pas ces types, mais je doute que ce soient des enfants de chœur. Ce sont des criminels, Cash, des criminels…

Malgré moi, j'ai envie de lui sourire.

En effet, tu en connais un rayon en matière de criminels, Olivia !

Sa remarque sort tout droit de la trilogie du *Parrain*.

— Mon père connaît bien ces types, Olivia. Mieux que personne, même. Je ne ferai rien tant que je ne lui aurai pas parlé. Les registres sont planqués. Je vais dire à ces enfoirés qu'ils sont dans un coffre-fort à la banque, et que je ne pourrai les récupérer que lundi à l'ouverture. Je le leur aurais bien dit tout à l'heure, mais ils ne m'en ont pas laissé le temps : ils m'ont précisé qu'ils avaient Marissa, que je devais aller récupérer les registres, et qu'ils me rappelleraient d'ici une heure pour me communiquer un lieu de rendez-vous.

— Tu veux dire que tu vas laisser Marissa avec ces types jusqu'à lundi ?

Dans les yeux d'Olivia, je lis un message clair : seul un type sans cœur pourrait se résoudre à une chose pareille. J'avance vers elle, emprisonne le menu entre mon torse et sa poitrine, puis pose une main sur sa joue.

— Si j'avais la moindre possibilité de faire autrement, je le ferais. Malheureusement, je n'ai pas le choix : j'ai besoin de temps. Et puis, ils ne feront aucun mal à Marissa tant qu'ils n'auront pas ce qu'ils veulent. Qui plus est, je dois être sûr de savoir exactement quelles cartes je vais jouer avant de leur céder ma seule monnaie d'échange.

Elle cherche mon regard, et je ne fais rien pour l'éviter. Je sais qu'elle a encore du mal à me faire confiance : pour elle, je suis le stéréotype du bad boy qui ne pense à rien d'autre qu'à lui-même. Le pire, c'est que les derniers événements ne font qu'apporter de l'eau à son moulin. Si seulement j'arrivais à la garder près de moi encore quelque temps… Elle comprendrait…

— Fais-moi confiance, Olivia ! Je t'en prie ! Je sais que je n'ai jamais dû te sembler fiable, mais pour une fois, contente-toi d'écouter ton cœur. Je te promets que je te sortirai de cette galère… Tu as ma parole.

J'ai beau le lui assurer, je sais pertinemment que je n'ai pas la moindre idée du dénouement de cette histoire. Ce dont j'aimerais qu'elle soit convaincue, en tout cas, c'est que même si un jour j'échoue à nous tirer d'affaire, j'aurai fait mon possible pour la protéger et être l'homme qu'elle aimerait que je sois. Si seulement elle était convaincue que je vaux la peine de prendre tous ces risques… Si seulement je pouvais lui offrir l'occasion de tomber amoureuse d'un type bien…

Silencieuse, elle acquiesce. Je sais combien c'est dur pour elle, et le fait qu'elle soit prête à tenter de me faire confiance me redonne espoir. Peut-être que si je récupérais quelques-unes de ses affaires, elle se sentirait plus à l'aise ? Je sais qu'elle a laissé tomber son sac devant la porte de chez elle, par exemple, et que j'ai oublié de le ramasser lorsqu'on s'est enfuis. Peut-être que l'avoir la rasséréneait…

La vache, qu'est-ce que j'en sais du bien que ça peut faire de retrouver un sac à main ? Je suis un putain de mec !

— Dis-moi ce que tu aimerais manger, et je me charge de te commander ça. Dès que ça arrive, je file. Je passerai chez toi récupérer ton sac et quelques sapes, puis je fermerai derrière moi pour que personne ne se doute de rien. Tu as besoin de quelque chose en particulier ?

Elle marque un temps d'arrêt, pensive, puis fait « non » de la tête. Je ne sais pas pourquoi elle est si mutique, mais je préfère ne pas la brusquer davantage.

— J'ai aussi besoin de ton téléphone. Je vais l'emporter au club et le laisser là-bas, au cas où. Dès mon retour, on utilisera les téléphones jetables que j'aurai rapportés. OK ?

Elle hoche la tête une fois de plus. Comme je connais Olivia, elle va s'inquiéter du fait que son père et sa meilleure amie, Ginger, la barmaid couguar, ne puissent pas la contacter.

— Tu pourras appeler ton père et Ginger demain matin. Dis-leur que ton téléphone est HS pour quelques jours, et que tu te débrouilleras de ton côté pour les appeler dès que tu le pourras. On jettera le portable que tu auras utilisé dans la foulée, et tu pourras en utiliser un autre pour les rappeler en fin de semaine.

Son sourire, bien que rassurant, reste tendu.

— Ça va aller… Je ferai en sorte que ça aille.

Elle acquiesce de nouveau, toujours silencieuse. Je refuse de croire que j'aie pu tout gâcher sans possibilité de me rattraper. Non… Ce qu'il faut, c'est que je trouve un moyen de gagner sa confiance. En d'autres termes : un moyen de nous sortir de ce merdier.

Alors, peut-être…

5

OLIVIA

JE NE ME SOUVIENS MÊME PLUS DU NOM DU PLAT QUE J'AI commandé. C'est un truc exotique, dont je n'avais jamais entendu parler. Tout ce qui m'importe, c'est que c'est du poulet. Du très bon poulet : mes papilles gustatives me le confirment à chaque bouchée. Pour autant, je ne peux pas dire que je me régale. Je suis encore trop bouleversée pour apprécier vraiment ce que je mange. D'ailleurs, je n'ai pas vraiment goût à quoi que ce soit…

Dans quelle galère est-ce que je me suis fourrée ? Non seulement j'ai fait exactement le contraire de ce que je savais être bon pour moi – à savoir ne plus jamais m'enticher d'un bad boy –, mais en plus, il a fallu que je jette mon dévolu sur un type au passé infernal. Ce mec n'est pas seulement dangereux pour ma stabilité affective, il est dangereux tout court. D'ailleurs, quand j'y pense, Cash est peut-être une menace plus dangereuse pour ma vie que pour mon cœur. Sauf si je me méprends à son sujet… Il est si doux parfois, si sincère… Et il me traite avec tellement d'attention ! Lorsqu'il me parle, je sens que je suis différente des autres, à ses yeux. Il ne me donne pas l'impression de m'avoir choisie comme les Barbie jetables qu'il collectionnait avant de me rencontrer. Il a l'air de vraiment m'apprécier, de se soucier de moi, de ma sécurité, de mon bonheur…

De tenir à moi ?

Pour autant, je me suis déjà fait prendre au piège par le passé. Trop souvent, j'ai fantasmé une relation qui n'existait que dans ma tête. D'un côté, je sais à quoi m'attendre : je sais tout le mal que les bad boys font aux filles naïves dans mon genre... Mais, d'un autre côté, quelque chose me pousse à prendre un nouveau risque ; une voix que je n'avais jamais entendue auparavant − une voix qui semble provenir du plus profond de mon âme−, et qui me murmure que Cash est différent.

La seule question qui vaille, alors, c'est : « Que faire ? » Que faire ! La même question qui revient sans cesse, et dont la réponse est toujours plus délicate à formuler lorsque c'est à moi et à moi seule de m'en charger ; de prendre une décision capitale.

Quoi qu'il en soit, pour le moment, la situation elle-même m'évite toute prise de décision : je suis coincée ici. Je n'ai pas d'autre choix que de rester avec Cash jusqu'à ce que cette affaire de mafia russe soit réglée. Vite, je l'espère. Ensuite, je pourrai prendre ma décision... J'y réfléchirai à tête reposée.

J'ai à peine touché à mon plat quand je décide de me lever, puis commence à arpenter la pièce de long en large. J'ai horreur de ne pas avoir un téléphone à portée de main : sans portable, pas moyen de savoir ce qui se passe. Et si je ne revoyais jamais Cash ? Comment va Marissa ? Est-ce qu'un raton laveur ne s'est pas introduit chez nous par la porte grande ouverte, avant de déchiqueter toutes nos affaires ?

OK, je l'avoue, mon esprit fonctionne de façon quelque peu désordonnée... Ce doit être le trop-plein d'émotions, mais je finis toujours par repenser à cette porte que j'ai oublié de refermer.

Je suis sûre que j'ai oublié de la refermer...

Telle une chanson qui bégaie sans fin sur un vieux tourne-disque, ce souvenir ne cesse de me hanter.

Comment est-ce que j'aurais pu penser à la refermer ? Je veux dire, j'étais troublée, c'est le moins qu'on puisse dire... Cela dit, Cash l'a peut-être fait, et je ne l'ai pas vu… Ou alors, je l'ai refermée machinalement et je ne m'en souviens plus! Mais si aucun de nous ne l'a fait, hein? Si ça se trouve, tout ce que je possède est en train de traverser la ville dans le chariot d'un sans-abri! Qui sait? Bref… Seul le temps pourra répondre à la question…

Cela dit, si un sans-abri a dévalisé la baraque, il y a certains trucs qu'on devrait retrouver assez facilement: je veux dire, un abri en carton orné d'une horloge à 2 000 dollars, ça ne passe pas inaperçu. Pareil pour un clochard en robe noire fendue de chez Prada avec Jimmy Choo assorties! Cela dit, ce sont surtout les affaires de Marissa qui seraient concernées… Ah oui, non, là, de mon point de vue: vogue la galère, et faites bon usage de ses strings hors de prix!

Seuls mes débardeurs de Chez Tad *détonneraient vraiment sur un sans-abri. C'est un peu triste, non? Peut-être que je devrais faire broder mon nom sur mes sous-vêtements, moi aussi…*

Sitôt que je prends conscience de mes errances délirantes, je lève les yeux au plafond: le moins que l'on puisse dire, c'est que j'ai une façon assez singulière de gérer le stress…

La salle de bains –luxueuse– de notre suite dispose d'une vaste baignoire en marbre couronnée d'un tas de produits de soin. Sur le battant de la porte, un peignoir épais. Je n'ai ni linge propre, ni affaires de toilette, mais prendre un bain ici est trop tentant, alors j'ouvre le robinet d'eau chaude et me déshabille, tandis que la vapeur envahit la pièce.

Une demi-heure plus tard, les yeux rivés sur mes orteils fripés, je me dis qu'il est grand temps que je sorte de la baignoire. Le parfum de lavande des sels de bain a imprégné ma peau, et il n'est pas impossible qu'après une immersion si longue, ils s'en soient pris directement à mon foie. Cela dit, ça en valait la peine: c'est comme si l'eau chaude avait noyé une partie de mes idées noires. Bien entendu, mon épuisement général n'y est pas pour rien. Le moins que l'on puisse dire, c'est que la semaine a été longue et éprouvante.

Je retire la bonde et laisse l'eau tourbillonner, puis disparaître. Après m'être essuyée brièvement, je me réfugie dans le confort duveteux et chaud du peignoir.

Les gens riches ont vraiment la vie dure!

Presque aussitôt, je me dis que j'ai pensé trop vite: Cash vient d'un milieu aisé – et douteux, certes –, et il certifierait sans hésiter que le prix à payer pour ce confort est souvent bien trop élevé. Je ne vois pas comment il pourrait voir cela autrement: les efforts acharnés de son père pour s'enrichir lui ont tant coûté... Au début, l'homme ne voulait rien de plus que nourrir sa famille, mais ça a vite été l'escalade. Certes, il a voulu quitter le milieu par la suite, mais il continuait de profiter financièrement des liens qu'il avait tissés avec la mafia. Et regardez-les, maintenant, lui et son fils: leur vie n'est qu'une succession d'emmerdes.

Je me dirige vers la chambre où je me glisse sous les couvertures. Reposer mes yeux en attendant le retour de Cash me fera du bien. Allongée, j'essaie de ne pas penser au fait qu'il est parti depuis trop longtemps à mon goût. Je ne veux pas être assaillie d'images de lui face contre terre, et me demander à quel point cela m'affecterait et bouleverserait mon avenir. Je refuse de me projeter comme ça. Et je ne le ferai pas. Que Cash et moi puissions avoir un avenir commun est une chose, de même pour le fait qu'il pourrait me briser le cœur... mais qu'il meure? C'est une autre histoire. Je ne peux imaginer un monde sans Cash, même s'il devait ne pas être mien.

J'entends un bruit et me redresse aussitôt, tous mes sens en alerte, surprise d'avoir réussi à m'endormir: je devais vraiment être à bout.

J'aperçois une silhouette traverser le salon – j'avais laissé les lumières de la pièce allumées – et, tandis que je l'observe, morte d'appréhension, je sens mon cœur cogner dans ma poitrine. Je retiens mon souffle, écoute les pas discrets de l'intrus sur le plancher, et balaie la pièce du regard dans l'espoir d'y trouver quoi que ce soit qui puisse me servir d'arme. Tout ce que je repère, c'est un vase sur la coiffeuse que je pourrais briser sur le crâne de l'inconnu, et un stylo qui ferait du dégât fiché dans un œil. Je suis certaine qu'une Bible se cache quelque part dans un tiroir, mais je doute de pouvoir faire quelque mal que ce soit avec les Écritures. Non que l'œuvre de Dieu ait ses limites, c'est juste que le Tout-Puissant a sûrement autre chose à faire que de m'aider à pratiquer l'autodéfense avec un bouquin d'un demi-kilo.

L'intrus s'approche de la chambre, et sa silhouette se découpe bientôt dans l'encadrement de la porte ; une boule d'angoisse enserre ma gorge, mais, presque aussitôt, je respire enfin : Cash.

— Je ne voulais pas t'effrayer, excuse-moi, dit-il à voix basse, depuis l'entrée de la pièce.

Je me tourne pour allumer la lampe, mais il m'en empêche.

— Non. Essaie plutôt de te rendormir.

Peu de chances que ça arrive! pensé-je, encore sous le choc. Pour autant, vu mon niveau de fatigue, il n'est pas impossible que je sombre de nouveau dans le sommeil.

Mon pouls reprend tout juste un rythme normal, lorsque Cash saisit sa chemise par l'ourlet et le passe par-dessus sa tête. La lumière de la pièce d'à côté l'auréole d'un halo doré qui, lorsqu'il se déplace, souligne les courbes harmonieuses de ses muscles. Cash jette sa chemise sur le dossier d'une chaise et, lorsqu'il porte la main à sa ceinture, mon sang s'affole dans mes tempes et ma poitrine. Silencieux, il défait sa ceinture et en abaisse la fermeture Éclair. Il marque une pause, les doigts prêts à libérer ses jambes musculeuses, et, de deux coups de pieds, se déchausse.

Cash m'hypnotise tant que je suis incapable de détacher mes yeux de lui tandis qu'il laisse glisser son pantalon et se révèle à moi. Je reste sans voix : Cash ne porte pas de sous-vêtements… et il est en pleine érection. J'ai la bouche sèche, mais un accès de désir inonde mon intimité et la chaleur qui se diffuse entre mes cuisses est sans équivoque.

Le souffle court, je l'observe, tandis qu'il dépose son jean sur le dossier de la chaise, se dirige vers le lit, puis soulève les draps pour se glisser à mes côtés.

Je ne bouge pas d'un pouce et, durant de longues secondes, lui non plus… Enfin, lorsque je sens ses doigts caresser avec tendresse mon avant-bras, c'est comme s'il m'électrisait : ma peau frissonne, et la vague d'excitation se répand le long de mon bras jusque dans le creux de mes reins. Aussitôt, je sens mes seins se tendre, mes tétons durcir…

Je suis aussi surprise que frustrée lorsque Cash m'allonge sur le côté et vient se lover contre moi.

Malgré l'épaisseur du peignoir, je sens contre mes fesses et le bas de mon dos chaque centimètre de son membre dressé. Avant de laisser ma raison m'en dissuader, je me mets à frotter lascivement mes fesses contre lui. C'est mon instinct qui parle. Et mon désir. Visiblement, mon corps n'a pas besoin de moi pour prendre des initiatives…

La respiration de Cash se fait haletante, et il se fige. Pendant d'interminables secondes, il ne bouge plus. Et moi non plus. Je veux qu'il me touche, qu'il pose ses mains et ses lèvres sur ma peau, qu'il me fasse oublier que ce monde existe, ne serait-ce que pendant quelques minutes. Pourtant, lorsqu'il le fait enfin, lorsqu'il me touche, c'est simplement pour enserrer tendrement ma taille de l'un de ses bras puissants. Je sens ses lèvres contre ma nuque… et mon cœur chavire.

Il a envie de moi. Je le sens. Pour autant, il se retient… pour moi, pour me protéger : pour préserver mon confort autant que mon équilibre émotionnel. Sa prévenance est implacable : un peu plus, et je ne me remettrai jamais de l'avoir rencontré, de lui avoir laissé une place dans ma vie, d'éprouver pour lui des sentiments aussi forts et sincères.

Pour la énième fois depuis notre première rencontre, je me rends compte qu'avec Cash, je joue avec le feu…

Merde…

Nous restons allongés ainsi sans bouger, respirant à l'unisson, attendant chacun que notre corps se fasse plus raisonnable. Jamais je n'aurais pensé qu'il pouvait être douloureux – littéralement – de se trouver près de quelqu'un. Mais, c'est bel et bien le cas. Le désir me consume. Le besoin, même… Je ressens un vide en moi que seul Cash sait combler. C'est physique… Oh oui ! Charnel, même ! Rien que d'imaginer qu'il me pénètre, qu'il me prend, toujours plus fort, toujours plus profondément, je…

Je ferme les yeux aussi fort que je le peux pour chasser ces images de mon esprit. Il faut que je respire et que je bâillonne provisoirement mes envies…

Grrr…

Cela étant, Cash me fait ressentir bien plus qu'un désir irrépressible : il comble un espace vide en mon âme, une crevasse que lui-même a ouverte et que lui seul peut habiter.

D'un soupir décidé, j'évacue cette pensée. Elle ne me mène nulle part…

—Alors ? lui demandé-je lorsque le silence et la proximité deviennent insoutenables. Comment ça s'est passé ?

Je m'en veux presque d'avoir posé cette question. C'est au coup de fil que je devrais m'intéresser. Tandis que je parle, je ne fais rien pour empêcher mes mains de s'aventurer vers lui… Et j'enrage presque qu'il garde les siennes pour lui.

Le soupir de Cash fait voleter une mèche de cheveux derrière mon oreille, et un frisson parcourt l'un de mes avant-bras.

—Ils ont marché. Ils n'ont pas particulièrement apprécié la nouvelle, mais j'ai réussi à garder mon calme et à les convaincre que les comptes étaient dans un coffre à la banque. Quels trous du cul…, conclut-il.

—Ils t'ont laissé parler à Marissa ?

—Oui.

—Alors ? Comment elle va ?

—Je me demande si elle ne va pas avoir raison de leur santé mentale avant qu'ils aient eu le temps de lui faire du mal... Je les plains, les pauvres.

Je ne peux réprimer un sourire.

—En gros... c'est un peu explosif avec elle ?

—Ne t'inquiète pas, elle ne les a pas non plus provoqués outre mesure... Moi, par contre, j'en ai pris plein la gueule : de toute évidence, elle a trouvé son bouc émissaire. La bonne nouvelle, c'est qu'à moins qu'elle leur révèle que je suis les deux frangins à la fois — si seulement elle l'a deviné —, je suis le seul à qui elle peut faire porter le chapeau. Nash et tout ce qu'il accomplit de bien dans sa vie ne seront pas affectés par cette histoire.

—Je me méfie toujours avec Marissa...

Je m'en veux de parler ainsi d'elle, alors qu'elle est détenue par la mafia. Le cauchemar qu'elle doit vivre ! Cela dit, Marissa elle-même est un cauchemar de premier ordre... Qui sait ? Peut-être que cette mésaventure fera d'elle une personne plus aimable, ou qu'un coup sur la tête lui permettra d'atteindre l'illumination... Et s'ils la shootaient au chloroforme et que le produit altérait sa personnalité au point d'en faire une femme bienveillante et appréciable ? Tout est possible, après tout, non ?

—Qu'est-ce qu'on fait, maintenant ?

—Il va falloir que je me renseigne sur deux, trois trucs, demain. Et puis, il faudra que j'aille voir mon père. Non seulement il est en droit de savoir ce qui se passe, mais, en plus, il pourrait nous aider.

—Comment ? Il est en prison.

—Je suis bien placé pour le savoir, me répond Cash, un brin abrupt. Mais, il connaît ces gens ; il sait comment ils fonctionnent. Qui plus est, c'est un bon stratège : il a de la tête et de l'expérience. Je ne veux pas prendre le risque de négliger le moindre détail. J'ai trop à perdre dans cette histoire..., ajoute-t-il en me serrant contre lui.

Nous nous faisons tous deux silencieux. Je ne doute pas une seconde que l'esprit de Cash turbine dix fois plus vite encore que le mien, et pourtant, mes neurones menacent déjà de s'embraser. Le fait est que Cash doit aussi assumer le poids de sa culpabilité et supporter la douleur de tout ce que les récents événements ont ravivé en lui.

—Cash…, l'appelé-je dans un murmure.

—Oui, ma belle…, susurre-t-il à mon oreille.

Sa voix attentionnée et chaude m'enveloppe comme un drap duveteux.

—Je ne t'en veux pas…

Il me serre davantage contre lui et pose les lèvres dans le creux de mon épaule. Je les sens à peine au travers de l'épais tissu de mon peignoir.

—Je peux le retirer ? halète-t-il. Je veux sentir ta peau contre la mienne.

Une vague de désir m'envahit à la seule pensée de ses bras qui enserrent mon corps nu. Il y a quelques heures à peine, nous faisions l'amour pour la cinquième fois de la journée, mais j'ai l'impression que c'était il y a une éternité. Il s'est passé tellement de choses depuis et j'ai ressenti tellement d'émotions que cela semble différent, cette fois.

—Oui, murmuré-je, répondant avant que ma raison ait pu m'en dissuader.

J'essaie de m'asseoir, mais Cash m'en empêche. Il se penche vers moi, pose un coude sur le matelas, dégage les cheveux qui caressent mon visage et mon cou, puis dépose les lèvres sur ma peau délicate, juste sous mon oreille.

—Laisse-moi faire.

J'essaie de me détendre, tandis que sa main s'aventure sur le nœud qui retient mon peignoir. De ses doigts experts, il le défait, puis tire sur la ceinture jusqu'à ce qu'un pan du vêtement retombe sur le lit.

Sa peau caresse ma poitrine, l'air de rien, tandis qu'il s'empare de l'autre côté du peignoir et dénude entièrement mon ventre.

Aussi subtils que le parfum de lavande qui émane de ma peau, ses doigts planent jusqu'à mon épaule qu'il libère du tissu velouteux, avant de l'embrasser.

— Ce que tu sens bon…

D'un mouvement toujours aussi éthéré, ses hanches se calent contre les miennes. Sitôt que son sexe tendu se plaque contre mes fesses et le bas de mon dos, le désir me submerge.

Il me caresse l'avant-bras, retirant en même temps la manche du peignoir. Je plie le coude et libère mon bras du vêtement encombrant. La main de Cash poursuit son entreprise et dénude mes jambes.

— Tourne-toi vers moi.

L'excitation martèle la moindre de mes terminaisons nerveuses… Je lui obéis, me tourne sur le dos, puis encore, jusqu'à ce que je me retrouve face à lui. Nous sommes si proches, l'un de l'autre, qu'il me suffirait de tendre les lèvres pour l'embrasser.

À la lumière tamisée de la pièce, ses yeux scintillent comme deux diamants noirs. La lumière du salon, diffuse, éclaire la moitié de son visage, abandonnant l'autre à la pénombre.

Je l'entends respirer, sens la chaleur qui émane de son corps. Je sais qu'il est aussi excité que moi, qu'il a envie de moi autant que j'ai envie de lui. Pourtant, il est bien décidé à réprimer son désir. Pour moi.

Mais qui dit que j'ai envie qu'il se retienne ? Et si, malgré mes doutes sempiternels et les atrocités que nous avons vécues aujourd'hui, je mourais d'envie qu'il me fasse l'amour ? Est-ce que cela ne suffit pas pour que nous cédions tous deux ? Serait-ce si mal que cela de succomber à nos envies ?

Pas forcément. Toujours est-il que, pour l'heure, j'ai besoin de Cash. J'ai besoin qu'il me serre contre lui, qu'il m'embrasse, qu'il me touche… J'ai besoin de le sentir en moi. Sa présence m'apaise, me rassure. Demain apportera son lot d'inquiétudes : j'aurai tout loisir d'être raisonnable à ce moment-là…

Lentement, Cash caresse ma clavicule et dégage le peu de mon peignoir qui couvre mon autre épaule : le tissu repose fébrilement sur le bout de mon sein. Je sens le regard de Cash se poser sur ma poitrine. J'inspire soudain et retiens mon souffle. Son regard est aussi brûlant de désir que ses doigts avides.

D'un geste guidé par l'envie, il fait glisser ses doigts entre mes seins, puis en caresse un d'un revers de main, le libérant du peignoir et offrant ma chair nue à ses yeux affamés.

Une fois de plus, il s'immobilise plusieurs secondes… et moi aussi. Lorsque ses yeux retrouvent les miens, j'y lis un éventail d'émotions intenses, dont la plus brillante est sans nul doute sa détermination à ne pas céder. Pas ce soir. C'est trop important pour lui… Pourquoi ? Je l'ignore. Peut-être parce que je suis importante à ses yeux… Je l'espère en tout cas.

Cash se penche doucement en avant, retire d'une main le peignoir qui enveloppe encore mon dos, caresse délicatement mes fesses, puis remonte le long de ma cuisse. Maintenant que je me retrouve devant lui, aussi nue que lui, ses yeux m'observent tout entière.

Alors, lentement, il les referme, roule sur le dos, passe un bras derrière ma nuque, puis m'attire contre son torse. Je dépose ma main sur les muscles saillants de son ventre, et enveloppe sa hanche de ma cuisse.

Je ne l'entends plus respirer. Retient-il son souffle ? Je l'ignore, mais je sens son cœur marteler ses côtes… Il lutte : contre moi, contre nous… contre nos envies.

L'espace d'un instant, je songe à le provoquer un peu, à le faire changer d'avis, mais, par respect pour sa retenue, je m'en abstiens. Si je m'efforce de ne pas tirer de conclusion hâtive sur les motivations qui le poussent à se contenir, je ne peux m'empêcher de m'interroger. Pourquoi agit-il ainsi ?

Des lèvres, Cash caresse mes cheveux.

— Il est temps de dormir, ma belle…, murmure-t-il d'une voix rauque. Tu es en sécurité. Je te le promets…

Je n'ai pas d'autre choix que de lui faire confiance.

Alors, je m'endors.

Je sens quelque chose caresser mon dos… Quelque chose de doux, de chaud… Il ne me faut pas plus d'une seconde pour me souvenir que Cash est là, derrière moi… Nu.

Il donne un léger mouvement de hanches et presse son sexe en érection contre mes fesses… Sans réfléchir aux conséquences de mes actes, je me cambre contre lui.

Je l'entends retenir son souffle, et mon ventre papillonne.

Il est réveillé.

Pitié, faites que ce ne soit pas un rêve…

Sa main puissante passe par-dessus ma hanche, se pose sur mon ventre, puis s'aventure jusqu'à l'un de mes seins. Du bout des doigts, il caresse mon téton jusqu'à ce qu'il se tende… Je pose une main sur la sienne, l'incite à masser mes seins brûlants. Il se prête au jeu et se met à pétrir mon corps délicat… Mon pouls s'accélère.

Je sens maintenant ses lèvres dans le creux de mon cou ; puis sa langue qui dessine sur ma peau un cercle enflammé. Enfin, ses dents en mordillent la chair. Des frissons parcourent ma poitrine, mes seins et mes fesses, et mon ventre se crispe, excité, impatient.

J'en ai envie. J'en ai besoin. Alors, je me laisse aller… Je le provoque, même ; et je défie Cash de me résister. Lançant une main derrière moi, je le saisis par la hanche et plaque mes fesses contre son érection. Il grogne, et sa main glisse le long de mon ventre, jusqu'à venir se réfugier entre mes cuisses. Je les écarte juste assez pour qu'il puisse me caresser, et il s'exécute aussitôt. Il glisse un doigt entre mes lèvres humides, prenant tout juste le temps de caresser mon clitoris avant de s'immiscer en moi.

— Mmmh… Tu sens comme tu es mouillée ? susurre-t-il à mon oreille en sortant son doigt, avant de l'enfoncer plus profondément encore.

J'enfonce mes ongles dans sa hanche, et il se plaque plus fort contre moi. Son membre est encore plus raide que tout à l'heure et peut-être même plus épais, aussi incroyable que cela puisse paraître.

— Est-ce que tu rêvais de moi ? me murmure-t-il. J'ai l'impression…

Il masse mes lèvres chaudes avec sa paume et glisse deux doigts en moi.

— Est-ce que tu rêvais que je te caressais comme ça ? Ou peut-être… que je faisais plus que ça ?

Je ne réponds pas. Je suis incapable de penser à autre chose qu'à ce qu'il est en train de me faire ; à ce que j'ai envie qu'il me fasse. Encore et encore… et encore.

— Je crois, oui… Je crois que tu en as envie, mais que ça te fait peur. Mais ce soir, tu n'as rien à craindre. Abandonne-toi, laisse-moi te montrer comme nous sommes bien ensemble.

Avec douceur, Cash se détache de moi. Je me mets sur le dos, mais Cash m'en empêche.

— Non, dit-il d'une voix douce, mais autoritaire.

Lorsque je veux lui répondre, il m'interrompt aussitôt.

— Chuuut…, murmure-t-il en me tournant sur le ventre. Mets-toi à genoux.

Je n'hésite qu'une seule seconde, mais c'est déjà trop long pour lui.

— Maintenant, m'ordonne-t-il tendrement. Je te promets que ça va te plaire.

Je me mets à quatre pattes sur le lit et, bientôt, je sens le corps de Cash contre mes fesses et l'arrière de mes cuisses. Ses mains trouvent bien vite mes hanches. Il me maintient avec fermeté et me plaque contre lui, contre sa verge dure et brûlante. Une vague de désir déferle en moi.

D'une poussée délicate, il me force à avancer sur le matelas. Je me déplace lascivement vers la tête de lit, jusqu'à ce que mon visage se retrouve au-dessus de mon oreiller.

— Tends les bras.

Je m'exécute et saisis le bois de la tête de lit. Lentement, Cash se penche sur moi jusqu'à ce que je sente son torse contre mon dos. Sa respiration caresse mon oreille.

— Écarte les jambes.

Sitôt que j'obéis, il glisse une main entre mes cuisses… Je sens son pouce s'immiscer en moi, tandis que, du bout des doigts, il stimule mon clitoris. Si j'étais debout, je m'effondrerais. Sa caresse se répercute dans tout mon corps, et je ne peux réprimer le gémissement qui s'échappe de mes lèvres entrouvertes.

— Ça te plaît?

Sa langue caresse mon oreille.

— Oui…, parviens-je tout juste à articuler, haletante.

D'une main, il dégage mes cheveux et embrasse ma nuque, avant de s'aventurer plus bas, déposant un baiser au creux de mon dos. Je sens son sexe chaud se retirer, tandis qu'il recule, puis, doucement, vient placer sa tête entre mes cuisses, contre mon oreiller. Je baisse les yeux à l'instant même où il lève les siens et, dans la semi-pénombre, je les vois scintiller. Le feu qui y brûle suffit à consumer mon corps entier.

Il ne me lâche pas du regard, tandis qu'il pose ses mains sur le haut de mes jambes et m'invite à m'asseoir sur ses lèvres.

Lorsque sa langue se pose enfin sur mon sexe brûlant, elle me fait l'effet d'un électrochoc: une ardeur m'envahit et, grisée, je laisse ses lèvres goûter les miennes.

— Assieds-toi sur ma bouche, ordonne-t-il d'une voix sans appel.

Alors, comme pour m'encourager, il enfonce soudain sa langue profondément en moi.

Les mains sur mes cuisses, il m'incite à le chevaucher ainsi. Sa langue s'enfonce en moi, se retire, s'invite de plus belle, encore et encore. D'avant en arrière, j'ondule des hanches, tangue au rythme de sa caresse, tenant à deux mains la tête de Cash. Sa langue, ses lèvres, son nez me visitent, m'excitent, me provoquent, et je sens que, très vite, je ne pourrai plus me retenir...

Ma respiration se change en saccades erratiques, et mes ongles s'enfoncent dans le bois du lit, tandis que j'apprivoise cette monture fougueuse. Mon pouls s'affole...

Plus vite, plus insistante, je glisse contre ses lèvres et, lorsque je l'entends gémir, je sens déferler en moi un plaisir si intense que mes sens volent en éclats, anéantis par sa langue insatiable et ardente.

Il me retient contre lui pendant que mon corps est secoué par les spasmes du plaisir. Juste avant que les contractions se muent en soulagement extatique, je sens Cash bouger sous moi. Quelques secondes plus tard, il se tient derrière moi, et, bientôt, ses doigts s'aventurent en moi, se retirent, me visitent encore, puis je sens quelque chose de bien plus grand s'immiscer en moi.

Son premier assaut, vif et avide, me laisse le souffle court. Cash gémit, se retire, puis me prend de nouveau, sans ménagement... et je jouis encore.

À chaque nouvelle vague de plaisir, je sens mes lèvres l'enserrer un peu plus. Il est en moi, il m'habite, démesuré, si bien que je le sens dans tout mon corps. C'est comme si son sexe avide parvenait à enflammer jusqu'à mes seins. Assaut après assaut, il se retire entièrement, puis me pénètre encore, plus profondément chaque fois.

—Laisse-moi entrer en entier, ma belle..., grogne-t-il, les dents serrées.

C'est comme s'il voulait me dévorer tout entière... L'érotisme torride m'arrache un hurlement.

Son rythme s'accélère, sa respiration aussi, et je sais ce qui va arriver ; il est sur le point de jouir.

Son corps se fige alors, et il rugit de plaisir lorsqu'il déverse sa semence en moi. Il me comble par à-coups rapides et, abattu par l'orgasme, se penche sur moi et plante délicatement ses dents dans la peau de mon cou. Il se contente de me mordiller, et cela ne fait qu'intensifier le plaisir qui embrase mon corps entier.

Alors, sans qu'il fasse quoi que ce soit de plus, je suis emportée par un nouvel orgasme, prisonnière des bras de Cash que je retiens moi-même entre mes cuisses.

Dans mon cœur.

Dans mon âme.

6

CASH

Le dimanche, il y a beaucoup de visiteurs en prison. C'est toujours triste de voir le nombre de familles qui se pressent dans les box : des gosses qui parlent à leur père qu'ils connaissent à peine, des femmes qui parlent à leur mari qu'elles voient à peine… En somme, des vies vécues d'une façon à peine humaine. Dans un endroit pareil, il n'est pas difficile de se persuader que les erreurs, quelle que soit leur gravité, ont des conséquences ; même si, bien sûr, plus grande est la faute, plus terribles en sont les conséquences. Tout ce que j'espère, c'est que rien de ce que j'ai pu faire dans ma vie, et rien que je pourrais être amené à faire à l'avenir, ne me jettera en pâture à ces murs. Je crois que je préférerais mourir plutôt que de croupir ici.

Guidé par l'habitude, je suis le protocole de visite et me retrouve enfin devant le parloir où mon père ne devrait pas tarder à arriver. Lorsque les gardiens l'amènent, je suis assis, patient, les mains croisées sur la table en face de moi. Bien que j'aie l'impression d'arborer une mine on ne peut plus neutre, mon père sent que quelque chose ne va pas.

À peine a-t-il décroché le combiné noir qu'il va droit au but.

— Qu'est-ce qui t'arrive ?

Je soutiens son regard inquiet – ses yeux sont plus clairs que les miens d'une subtile nuance ou deux –, hoche rapidement la tête, puis lève un doigt comme si de rien n'était et me tapote l'oreille droite. Mon père me dévisage longuement. Je sais qu'il réfléchit, qu'il envisage en silence tous les possibles et quelque plan pour me sortir du pétrin en cas de besoin.

Soudain, il acquiesce. Juste une fois, de façon presque imperceptible. Il m'a compris : je le lis dans ses yeux.

— Rien. Le week-end a été long, rien de plus. Beaucoup de boulot.

La conversation dévie sur des sujets banals, de façon que rien ne puisse attirer l'attention de qui que ce soit : connaissances, événements de la semaine, détails insignifiants de la vie quotidienne, rien qui soit digne d'intérêt en somme. J'espère qu'un tel échange découragera les curieux de nous fliquer.

Au bout d'un moment, mon père revient sur le sujet qui nous intéresse, de façon subtile, bien entendu.

— Et ta partie de pêche, alors ? Tu as ferré quelque chose ?

Je ne pêche pas. Nash pêchait, mais, moi, ça n'a jamais été mon truc. Mon père le sait, et c'est comme ça que je comprends que nous parlons de tout, sauf de pêche.

— Tu parles ! Je n'ai même pas pu y aller ! J'ai passé le week-end au noir : boulot, boulot, boulot !

Il acquiesce lentement. Il a compris. Je sais qu'il a tout de suite saisi ce que j'entendais par « passer le week-end au noir ».

— Ce n'est pas très bon, tu sais, de travailler trop.

— Oui, je sais bien.

Son regard est intense. De toute évidence, la véritable discussion que nous partageons est silencieuse.

— Je pense que je vais devoir apprendre à déléguer un peu…

J'espère qu'il comprend aussitôt quel genre de responsabilité je pense vouloir refourguer à quelqu'un d'autre.

— Parfois, il faut savoir lâcher prise, Cash, oui. Tu as raison. Tout ne se déroule pas toujours comme on veut dans la vie : apprendre à faire avec, c'est une sage décision. Alors, mon fils, fais ce que tu penses être le mieux pour toi dans ce chaos, c'est comme ça que tu t'en sortiras.

—Je comprends, mais, quelle que soit la direction dans laquelle je regarde, j'ai l'impression de ne pas avoir la moindre échappatoire…

Il acquiesce une fois de plus.

—Cela dit, renoncer à une partie de sa vie n'est jamais une chose facile. Tu as un plan B ?

Je fais « non » de la tête et lui adresse un signe de main dépité.

—Non, et je suis ouvert aux suggestions. J'ai encore un peu de temps pour me préparer à la suite. Mais pas énormément : si je tarde trop, la boîte va couler.

Sans me lâcher du regard, mon père se gratte le menton.

—Tu as un conseil avisé en stock ? lui demandé-je. Une idée sur la marche à suivre pour éviter de tout lâcher ?

—Tu es une vraie tête de mule…, murmure-t-il. Cette boîte de nuit, c'est ton va-tout, pas vrai ? Tu as tout misé là-dedans, quitte à couler un jour avec ton navire.

Avant son arrestation, mon père avait refusé que je récupère les registres de la mafia. Il ne voulait pas que je m'implique dans ce merdier. J'ai réussi à le convaincre qu'il pourrait nous servir un jour de monnaie d'échange, en plus d'assurer ma sécurité : tant que les ex-employeurs de mon père savaient que leurs comptes traînaient dans la nature, ils ne pouvaient pas se permettre de déconner. Pas avant de savoir où ils étaient et qui les planquait.

Aujourd'hui, qui les planquait, ils le savaient…

—C'est justement ce que j'aimerais éviter, et je me suis dit que tu aurais peut-être une solution. T'es un vieux singe, papa, lancé-je, un sourire sincère sur les lèvres.

Mon père perçoit l'affection sur mon visage ; je le lis dans ses yeux. Comme un miroir, ils me renvoient cet amour indéfectible.

—Tu as besoin de quelqu'un pour t'épauler au club.

—Je veux bien qu'on me file un coup de main. Tu as une piste ?

—Oui. Ce que tu vas faire, c'est publier deux annonces dans le journal.

—Il y a encore des gens qui lisent le journal ? le taquiné-je.

—Quelques-uns, oui…, répond-il en haussant les épaules, l'air de rien.

Ce «quelques-uns» veut tout dire : il parle de personnes influentes.

—Cela dit, reprend-il, je pensais à un site Internet en particulier. Pas pour la deuxième annonce. Pour la première. Tu devrais avoir des réponses rapidement.

Alors, il m'explique où et comment rédiger les deux annonces. Je prends des notes comme je peux sur le téléphone jetable merdique que j'ai embarqué avec moi.

—D'ici quelques jours, tu devrais avoir une réponse. Quelques petits jours. Je suis sûr qu'un peu d'aide va te soulager.

—Tu as raison. D'autant plus que la pression commence à se ressentir chez certains de mes employés. Effet boule de neige…

Il sait qu'Olivia est serveuse à l'*Hypnos Club*.

—Dans ce cas, c'est vraiment la meilleure chose à faire. Désolé que tu doives en arriver là.

—Honnêtement, je suis dos au mur. Je suis prêt à essayer à peu près n'importe quoi.

Il acquiesce une fois de plus, mais reste silencieux. Je lis du regret dans ses yeux. Un regret profond, douloureux, et de la tristesse. Il ne connaît pas les détails de l'histoire, mais il a compris que ça partait en vrille ; que la situation était critique et qu'on risquait d'y laisser des plumes. Voire bien plus. Jamais il n'avait été question de remettre un jour ses comptes à la pègre. Après tout ce temps, jamais je n'avais envisagé que… Je n'avais jamais vraiment envisagé quoi que ce soit, en fait – et ce manque de vigilance et de préparation vient de me coûter cher. Et cela n'est peut-être qu'un début.

Sauf si je parviens à trouver une échappatoire… Les annonces et ceux qui sont censés y répondre, peut-être ?

Je l'espère.

Sitôt retourné à ma moto, je vérifie mon téléphone. Impossible de capter le moindre réseau à l'intérieur de la prison. Olivia savait qu'elle ne pourrait pas me joindre durant ma visite ici. Cela n'a pas eu l'air de la déranger plus que ça ; moins que moi, en tout cas. J'ai essayé d'en finir le plus vite possible, histoire de me reconnecter au monde réel, et je me retrouve avec quatre barres de réseau… mais pas un seul message. Je suppose que c'est une bonne nouvelle : pas de message, pas d'urgence, pas de raison de s'inquiéter.

Pour autant, j'aurais préféré recevoir un texto ou un message vocal de sa part, urgence ou pas. Juste histoire de me rassurer… ou juste pour me dire que je lui manque.

Après quelques secondes de questionnements intérieurs, je succombe à l'envie de l'appeler et compose le numéro de sa ligne temporaire. Non que j'aie quoi que ce soit à lui dire en particulier : c'est juste que, même si je ne suis parti que quelques heures, j'ai besoin de m'assurer qu'elle va bien. De prendre des nouvelles. C'est ce que ferait un type poli et attentionné, non ? Je me montre juste… courtois. Rien de plus.

Continue à te raconter des salades, mon gars.

Je lève les yeux au ciel à cette pensée. Il y a un type perspicace dans ma tête…

—Allô ?

Voix éraillée. Elle devait probablement dormir.

—Je te réveille ?

—Pas de problème. Je flemmardais, mais il faut que je me lève. Où est-ce que tu es ?

—Encore à la prison. J'allais partir, là. Je voulais juste savoir comment tu allais.

—Oh ?

Je perçois un sourire dans sa voix et une touche de je-ne-sais-quoi ; de joie, peut-être ? Elle a l'air heureuse que je prenne de ses nouvelles.

—Tu es surprise ?

Silence.

—Peut-être…

—Pourquoi ?

Nouveau silence.

—Je ne sais pas. Je crois que je me suis toujours demandé si tu n'étais pas…

Elle traîne, mais je n'ai aucun mal à aller au bout de sa pensée. Elle croit encore que je compte parmi ses erreurs sentimentales ; que je suis l'un de ces bad boys qui l'ont fait souffrir par le passé. Au fond de moi, je me demande s'il y a quoi que ce soit que je pourrai faire ou dire un jour pour lui faire comprendre qu'elle se méprend à mon sujet. Je ne suis pas comme ça. Pas pour les choses qui comptent. S'arrêtera-t-elle un jour de me comparer à eux ? Si elle continue à chercher des points communs entre eux et moi, c'est sûr qu'elle en trouvera ; mais verra-t-elle aussi ce qui me rend différent ? Et ces différences, seront-elles suffisantes pour la convaincre ?

Parfois j'ai l'impression d'être embarqué dans un combat que je ne pourrai jamais remporter. Après avoir vécu tant d'années la vie de deux hommes totalement différents —sans qu'aucun des deux ne soit le véritable moi—, ce dont j'ai besoin, c'est de quelqu'un qui parvienne à percevoir ma véritable nature et à l'accepter comme telle, avec ses qualités et ses défauts. Quelqu'un qui accepte tout à la fois le bon, la brute et le truand que je suis.

Mais l'heure n'est pas à l'introspection. J'ai bien plus important à faire : je dois m'assurer que dans cette histoire, ceux qui sont dans mon camp s'en sortiront sains et saufs ; même ceux dont je me soucie à peine, comme Marissa. Jamais je ne pourrais vivre avec sa mort sur la conscience. Même sans aller jusque-là, d'ailleurs : il suffirait que les Russes la fassent souffrir d'une quelconque manière pour que je vive toute ma vie avec le poids de ses blessures. Avec tout le merdier que j'ai semé sur mon passage, j'ai déjà l'impression d'être le dernier des salauds ; pourtant, j'ai réussi à limiter la casse. Rien que d'imaginer que la situation pourrait empirer et, Dieu m'en garde, finir de façon catastrophique me donne un petit aperçu de ce que mon père doit supporter au quotidien, lui qui vit avec la mort de ma mère et de mon frère sur la conscience, sans compter les autres dépouilles qu'il a dû laisser dans son sillage durant ses années mafieuses.

Olivia me tire de mes rêveries en se raclant la gorge.

— Comment ça s'est passé ?

— Je te raconterai quand je serai à l'hôtel. Tu as besoin que je te rapporte quelque chose ?

— Hmm, non, je ne crois pas. Tu m'as rapporté tout ce qu'il fallait hier soir.

— OK, super. J'arrive pour le déjeuner. On assouvira nos appétits à l'hôtel.

Presque aussitôt, je m'imagine la table à manger de la chambre d'hôtel et je ne pense qu'à une chose : balayer d'une main la porcelaine, les verres en cristal et l'argenterie, y asseoir Olivia, et lui faire l'amour sans ménagement.

Je me mords les lèvres et tâche d'ordonner à mon sang d'alimenter mes organes vitaux plutôt que certains périphériques plus accessoires. Il faut que j'arrête de penser à ce genre de trucs : pas facile de chevaucher une moto jusqu'à Atlanta avec une érection qui vous déforme la braguette. Niveau confort, on a vu mieux.

— Alléchante perspective…

Ce qu'elle vient de dire ne m'aide pas à ménager mes lèvres : de toute évidence, nous avons pensé à la même chose. Mais ce qui m'excite bien plus encore, c'est la façon dont elle l'a dit. Lorsqu'elle parle ainsi, tout bas, elle a la voix la plus sexy que j'aie jamais entendue ; une voix empreinte d'une sorte de roulement sensuel qui fait vibrer mon corps entier. Et chaque fois – chaque fois –, ma queue se met au garde-à-vous. Comme si elle avait besoin d'aide, aujourd'hui !

— OK… À très vite, alors.

Je raccroche. Je sais que ça lui a peut-être semblé un peu abrupt, mais c'était soit ça, soit je passais dix minutes à l'ombre pour me débarrasser de ma gaule avant de remonter sur ma bécane : le truc, c'est que je n'ai aucune envie de la laisser seule une minute de plus que nécessaire. À mon avis, elle est en sécurité, mais comment en être certain ? Tant que je n'en aurai pas le cœur net, je ne jouerai pas avec le feu.

7

Olivia

Sitôt mes cheveux séchés, je relève la tête et me regarde dans le miroir. Je lis de l'inquiétude dans mes yeux. Cash peut-il la percevoir, lui aussi ? Cela met-il notre relation en danger ? Je l'ignore, mais, ce que je sais, c'est qu'un orage menace.

Il y a de plus en plus de tension entre nous… et pas des plus salutaires. La tension sexuelle est toujours là, c'est indubitable, mais je parle d'un autre type de tension, d'une nervosité ambiante qui risque de rendre la suite difficile. Trop peut-être.

C'est sûrement un tout, plutôt qu'un événement en particulier… Par exemple, je sais que je ne peux pas m'empêcher de douter : de lui, de notre relation, de tout, en fait !

Taryn, sale garce, avec tes commentaires à la con !

Je sais que je ne devrais pas me soucier de cette fille, mais ses mots ont jeté le doute et mis fin à mon état de transe ; une sorte de délire qui m'empêchait de voir autre chose que Cash. Et voilà où ça m'a menée ! Ma cousine s'est fait enlever et je me retrouve cloîtrée dans un hôtel de luxe aux allures de prison dorée !

Je n'aurais pas autant l'impression de tourner comme un lion en cage s'il n'y avait pas cette fameuse tension entre Cash et moi. Je sais ce qui me trouble dans notre relation, mais qu'est-ce qui le décontenance, lui ? C'est la réponse à cette question qui m'inquiète. Pourquoi se fait-il plus distant et anxieux ? Est-ce à cause de la captivité de Marissa ? Est-ce qu'il culpabilise ? Est-il inquiet à l'idée de devoir remettre leur registre à la mafia et perdre ainsi son seul moyen de sauver son père ? Je suis sûre qu'il ressent tout cela à la fois. La véritable question, c'est : est-ce qu'il y a autre chose ? Quoi que ce soit en rapport avec moi ?

Tandis que je termine de me préparer pour le boulot, je rumine en silence cette nouvelle inquiétude, autant que l'égoïsme qui me pousse à me focaliser sur ma relation avec Cash alors que je devrais me préoccuper de choses bien plus importantes. Lorsque j'ai fini de passer à mes oreilles deux grandes créoles dorées, j'éteins la lumière de la salle de bains et me rends dans le salon.

— C'est bon, je suis prête, lancé-je à Cash qui, assis dans le canapé, fait mine de regarder la télé.

À la façon dont il réagit, je sens tout de suite qu'il était ailleurs. Dans une galaxie très, très lointaine…

Il me sourit et, comme chaque fois, mon cœur tressaille.

— Ça arrange nos affaires à tous les deux que tu aies voulu bosser ce soir : toi, tu peux te faire un peu d'argent, et moi, je peux garder un œil sur toi.

— Tu n'as pas besoin de me surveiller, tu sais ? D'ailleurs, je ne suis pas sûre qu'on ait besoin de rester dans cet hôtel. Les mafieux ont Marissa, et tu vas leur remettre les registres pour qu'ils nous la rendent. Dès demain, tout ça devrait être terminé, non ?

J'ignore comment interpréter l'expression qui passe sur le visage de Cash. Je suis trop stressée pour être objective, de toute façon, surtout quand cela le concerne.

Il m'adresse un signe de tête et un sourire forcé.

— Normalement, oui. Encore un peu de patience, et on devrait pouvoir tourner la page, OK ?

Son dernier mot semble aussi sincère que lourd d'inquiétude, et, pour une raison que j'ignore, je me sens coupable, sans trop savoir pourquoi. Comme si je l'avais blessé d'une façon ou d'une autre. Je ne vois pas ce que j'ai pu faire pour le faire souffrir, mais je ne peux me départir de cette impression.

—Bien sûr. Si tu penses qu'il faut qu'on soit patients, je serai patiente. Et puis, soit dit en passant, service de chambre et baignoire en marbre, on a vu pire comme enfer, non?

—Un point pour toi.

Son sourire peine encore à faire scintiller ses yeux.

—Allez! On file gagner notre paie!

Dix minutes plus tard, tandis que nous zigzaguons dans les rues d'Atlanta sur son bolide, je savoure d'avoir ainsi mes bras autour de sa taille: il n'y a que sur sa moto que je peux m'accrocher ainsi à lui sans plus me poser de questions.

J'aimerais avoir une sorte de bouton magique qui permet de remonter dans le temps: je nous renverrais quelques jours en arrière, lorsqu'il est venu me chercher à Salt Springs, ce jour où j'ai eu l'impression d'être sienne, et que lui était mien; ce jour où j'ai cessé de penser à quoi que ce soit d'autre qu'à lui…

Je nous renverrais à la veille de ma discussion avec Taryn; de sa conviction que, même chassé à grands coups de pied aux fesses, le naturel finit toujours par revenir au galop; sa certitude que Cash est un fauve, un carnassier vorace, et qu'une seule proie ne suffira jamais à lui combler une vie d'appétit.

Lorsque Cash et moi prenons notre dernier virage et arrivons à quelques dizaines de mètres de l'*Hypnos Club*, mon cœur se serre: Taryn est déjà là, assise dans sa voiture. De toute évidence, elle attend que la boîte ouvre. J'entends Cash appeler Gavin, son adjoint, pour lui dire qu'il arrive et qu'il peut ouvrir la boutique.

Merde! Comment j'ai pu l'oublier, celle-là!

Lorsque la moto de Cash longe sa voiture, puis contourne le bâtiment en direction du garage, Taryn nous suit des yeux. La visière sans tain de mon casque ne m'empêche pas de percevoir les dagues effilées que son regard jette dans ma direction. M'est avis que notre arrivée va mettre un terme à notre cessez-le-feu.

Quelle merde!

Cash appuie sur un bouton intégré à sa moto, et la porte du garage s'ouvre. Une fois à l'intérieur, il coupe le moteur. Je descends rapidement, priant pour que Taryn ne rapplique pas pour faire une scène.

—Je ferais mieux d'aller bosser tout de suite, lancé-je en tendant son casque à Cash.

Il le récupère lentement et m'adresse un regard perplexe. Après quelques secondes aussi longues que pesantes, alors que je suis convaincue qu'il va me demander de garder notre relation secrète —quelle qu'en soit la nature exacte—, il acquiesce. Je lui souris alors et fonce sans tarder dans l'appartement, traverse le bureau, puis débarque dans le bar où je fourre aussitôt mon sac sous le comptoir.

Je me mets au travail sans perdre de temps, apprête les bouteilles d'alcool, m'assure que les glaçons sont prêts, et me lance dans la découpe des tranches de citrons, de citrons verts et d'oranges. Cash entre à son tour dans la pièce et la traverse pour aller ouvrir les portes de l'établissement. Plutôt que de retourner ensuite dans son bureau, il sort pour ne revenir que quinze minutes plus tard. Ce qui m'irrite le plus dans cette histoire, c'est qu'une petite minute après son retour, Taryn fait irruption… tout sourires.

Qu'est-ce que c'est que cette connerie, encore?

L'angoisse qui noue ma gorge ne présage rien de bon. Pas pour moi, en tout cas. Mes paupières papillotent pour retenir mes larmes.

Comment est-ce que j'ai pu être aussi naïve?

Une fois de plus, je me suis laissée berner… Une fois de plus, j'ai eu l'impression que c'était différent, et, une fois de plus, je me suis plantée! Pourtant…

J'y croyais vraiment, cette fois…

Taryn entre et se met à préparer son coin de comptoir en sifflant. En sifflant, merde! Elle a l'air de jubiler… Est-ce qu'un sifflement peut exprimer la jubilation ? J'en suis assez convaincue, maintenant que je la vois parader devant moi !

Je serre les dents et m'efforce autant que possible de ne pas lui prêter attention. Lorsque Cash allume la sono, j'avoue être soulagée d'entendre la musique noyer son euphorie venimeuse. Avec une détermination féroce proche de l'instinct de survie, je me focalise tout entière sur mon travail.

Je ne supporterai pas une seconde de plus de ruminer mes idées noires.

8

CASH

Je me lève et marche pour la troisième fois jusqu'à la bibliothèque installée de l'autre côté de mon bureau. J'ai laissé la porte entrouverte pour m'assurer que Taryn ne déconne pas.

Lorsque je suis sorti tout à l'heure, c'était pour lui apprendre qu'Olivia et moi étions ensemble, et lui adresser un message clair : hors de question qu'elle se venge sur Olivia. Cela dit, je crois que j'ai sous-estimé l'ego de Taryn : la guerrière a dégainé la première et, malgré elle, m'a offert une échappatoire sur un plateau d'argent. Pour l'heure, le secret d'Olivia reste bien gardé.

—Cette meuf a vraiment besoin d'une nouvelle caisse, m'a-t-elle dit, guillerette, en jetant un regard à la voiture d'Olivia.

—Elle n'a pas vraiment les moyens de s'en offrir une, en ce moment. Quant à toi, pas la peine de lui rendre la vie aussi merdique. Elle me fait sincèrement de la peine, et, si tu savais ce qu'elle endure en ce moment dans sa vie, je t'assure que tu ferais la même chose que moi. Alors, fais-moi une faveur et rentre les griffes, OK ?

Elle s'est plantée devant moi, m'a fusillé du regard et ne m'a pas lâché des yeux pendant une bonne minute avant de reprendre la parole. Je me demande encore si elle cherchait à lire la vérité sur mon visage, et ce qu'elle y a finalement perçu. Quoi qu'il en soit, elle n'est pas allée jusqu'à dire qu'elle ne me croyait pas. Au lieu de ça, elle a secoué la tête, avant d'éclater de rire.

—Et qu'est-ce qui n'allait pas, cette fois?

—Les bougies, je crois.

—Qu'est-ce que tu dirais que je fasse le taxi pour elle? On a les mêmes horaires, après tout…

—Tu as raison: je crois qu'elle a vraiment besoin d'un coup de poignard, lui ai-je répondu, ouvertement sarcastique.

—Eh! Je peux être une fille adorable, tu sais…

—Oui, mais tu ne l'as jamais été. Pas avec elle, en tout cas. Si je te laisse faire le chauffeur pour elle sous prétexte que sa caisse est merdique, je ne ferai que remuer le couteau dans la plaie. Surtout vu ton attitude à son égard.

J'ai serré les dents: rien que de penser qu'on puisse faire chier Olivia, je vois rouge. Pour autant, Taryn ne doit pas le remarquer, alors je le planque du mieux que je peux derrière mon masque de boss autoritaire et décidé.

—Tu te fous de moi? Je lui ai payé un coup l'autre soir, et lui ai même proposé qu'on se voie après le boulot! Qu'est-ce que tu veux que je fasse de plus? Que j'aille donner mon sang pour l'aider à se payer un nouveau tacot?

—Me prends pas pour un con, Taryn. Je ne t'ai jamais demandé de devenir sa meilleure amie. Ton entreprise de séduction avec elle, c'est ton délire, pas le mien. Tout ce que je t'ai demandé, moi, c'est d'arrêter de la faire chier. Elle a une vie assez compliquée en ce moment.

Taryn a souri de son air de garce habituel, cet air qui finissait par nous engager tous les deux dans une séance de baise sauvage, mais qui ne provoque plus chez moi la moindre excitation. J'espérais qu'elle le percevrait, mais ce qu'elle a fait ensuite m'a confirmé le contraire.

—Comme vous voudrez, chef…, a-t-elle répondu en se penchant vers moi, pas assez pour se frotter contre moi, mais suffisamment pour que sa poitrine généreuse effleure mon torse.

— Je préfère ça. Je n'ai aucune envie de bosser avec des fouille-merde, dis-je avant de repartir vers la boîte.

Délibérément, je ne regarde pas Olivia en rentrant dans la salle : je ne veux pas qu'elle pense que j'ai trahi notre secret. Enfin, son secret à elle. Personnellement, je me fous de savoir qui est au courant.

Je regarde en direction du comptoir et vois Taryn, tout sourires, qui s'occupe de ses clients. Elle n'a pas l'air de chercher des noises à Olivia, ni même d'être particulièrement aimable à son égard, d'ailleurs. Et c'est mieux comme ça. J'aime autant qu'elle fasse comme si Olivia n'existait pas : cela nous évitera pas mal d'emmerdements.

Alors que je suis assis à mon bureau, mon téléphone sonne : un texto.

« Bourg-St-Jumeaux ? »

Mon pouls s'accélère : c'est une réponse à l'une des annonces.

« Oui. »

Ma réponse est expéditive, mais je ne vois pas quoi dire de plus.

« T'as de la veine que je sois dans le coin. Je serai là dans trois heures. »

Je suis tout de suite intrigué : comment un parfait étranger peut savoir où me trouver ? La seule chose inscrite dans l'annonce, en dehors de mon numéro de téléphone, c'était le texte dicté par mon père :

« Urgence à Bourg-Saint-Jumeaux. Stop. »

Nulle part, il n'est fait mention de mon adresse. Si l'indicatif de mon numéro laisse un indice sur ma localisation, il est loin d'être assez précis pour qu'on sache où me trouver.

Sauf, bien sûr, si on me localise…

« Vous savez où me trouver ? »

La réponse me trouble…

« *Bien sûr.* »

Je m'étais souvent dit que d'anciennes connaissances de mon père devaient garder un œil sur moi, mais visiblement, ces types sont bien plus nombreux – et bienveillants – que je l'imaginais.

Bien entendu, je brûle de lui poser un tas de questions, du genre : « Vous êtes qui, bordel ? », « Vous êtes qui pour mon père ? » ou encore : « Pourquoi est-ce que vous me surveillez ? »

Mais finalement, j'estime qu'il est plus sage d'attendre un peu. C'est mon père qui m'a conseillé de faire confiance à l'inconnu, et je me vois mal ne pas le faire : il doit savoir ce qu'il fait. Je sais qu'il ne prendrait pas le risque de me foutre dans la merde. Pour autant, cette histoire me met mal à l'aise.

Je remise mon inquiétude au fond de mon crâne et remercie la technologie de faire partie du monde moderne : l'annonce Internet a ferré quelqu'un en moins de deux. Quelqu'un qui, selon mon père, pourra m'aider. Au vu de ses réponses concises et brutes de décoffrage, ce n'est probablement pas le genre de personnes qu'on pourrait qualifier de recommandables, mais, étant donné les anciennes fréquentations de mon père, je pouvais difficilement m'attendre à autre chose.

J'avais beau connaître le passé houleux de mon père, je ne me doutais pas qu'il aurait autant d'influence sur ma vie…

Sortant le livre de comptes de l'*Hypnos Club*, je me mets à bosser, plus pour m'aider à supporter les trois heures à venir qu'autre chose : si je filais dans la salle, je ne pourrais pas détourner mon regard d'Olivia, alors je n'ai pas d'autre choix que de rester planqué ici. Et attendre.

Un peu plus d'une heure plus tard, une idée noire qui me trottait dans la tête depuis l'échange de textos – mais que j'avais réussi à tenir en respect jusqu'ici –, revient en force pour me hanter. J'ai dû essayer de ne pas m'y confronter en raison de tout ce qu'elle implique de troublant… En fait, elle me donne l'impression de ne pas faire entièrement confiance à mon père.

J'ai pourtant le sentiment du contraire. Cela dit, je n'ai jamais confiance en qui que ce soit à cent pour cent, d'autant moins lorsque la sécurité d'Olivia est en jeu.

Aussitôt, je m'empare de mon téléphone et compose le numéro de la personne que j'estime la plus fiable sur cette planète ; un type dont je sais qu'il fera toujours son possible pour me tirer d'affaire en cas de pépin. J'avais une place de frangin vacante, et il avait pile le profil pour en hériter. Sans doute aucun, il est devenu mon plus proche parent dans cette merde qu'est la vie.

— T'en demandes trop à tes employés, Cash ! lâche la voix familière de Gavin Gibson, mon adjoint à mi-temps ; mon ami.

Sa voix a gardé quelque chose du phrasé typique de son Australie natale.

— Rien à voir avec le taf, Gav. J'ai un service à te demander. C'est personnel…

Silence. Quand Gavin reprend la parole, c'est plus sérieux que jamais.

— Tout ce que tu voudras, mon pote…

— Tu peux venir au club quelques heures ?

— Oui, bien sûr…, dit-il d'un ton intrigué. J'ai juste un ou deux trucs à finir avant d'arriver. Si je suis là dans trois quarts d'heure, ça va ?

— Parfait. À tout à l'heure.

Sitôt le téléphone raccroché, j'ai le sentiment que j'ai pris la bonne décision. Pour tout dire, je me sens déjà mieux. J'ai besoin de mes proches sur ce coup, de personnes sur qui je peux compter. Me lancer seul dans cette histoire serait aussi dingue qu'irresponsable, même si mon père dirige la manœuvre à distance. J'ai besoin de protéger mes arrières, et Gavin sera mon arme secrète.

9

OLIVIA

UN SOURIRE CRISPÉ SUR LE VISAGE, JE M'EFFORCE DE GARDER une contenance devant les clients. J'entends comme un cri de guerre de l'autre côté du comptoir, me retourne, et découvre Taryn euphorique. Lorsqu'elle se retourne pour changer de musique, je comprends aussitôt ce qui se passe : il y a du *body shot* dans l'air.

Comme la majorité de la clientèle de l'*Hypnos Club* est constituée d'habitués, nombreux sont ceux à savoir ce qu'est un *body shot*. Une foule d'impatients commence à se masser du côté de Taryn. M'est avis que le seul moyen plus efficace pour vider la salle serait de désigner la porte d'un doigt en hurlant : « Une baston ! » Deux secondes plus tard, il n'y aurait plus personne ici.

La fille qui s'apprête à recevoir le *body shot* est le genre de bimbo qui n'attend que ça. Je serais prête à parier que son corps est constitué à quatre-vingts pour cent de matériaux synthétiques et qu'elle a volé ses vêtements à sa petite sœur de huit ans. Ses cheveux blonds ne font qu'ajouter au portrait typique de la garce en chaleur.

Elle se trémousse et glousse avant de s'allonger sur le bar. Chose amusante, elle a le nombril à l'air et son tee-shirt est tellement court que personne n'a besoin de le relever pour préparer le shot.

Taryn étale du sel et du jus de citron sur son ventre, puis verse la tequila dans son nombril, pratique qui ne fonctionne, d'ailleurs, qu'avec les filles en ayant un anormalement profond.

Y a un veinard qui va se faire plaisir en lapant tout ça !

Je balaie du regard la foule de zombies, la bave aux lèvres, et essaie de localiser le plus en manque. Pas difficile : il a les yeux qui pétillent, et trépigne comme un chiot surexcité à l'idée de lécher quoi que ce soit sur le ventre de cette fille. Tous ses potes lui donnent de la tape dans le dos, et le bougre se frotte littéralement les mains.

Ne pars pas trop vite dans ton caleçon, champion…

Je ris discrètement à ma propre vanne. Le type est plutôt mignon, d'ailleurs, mais certains de ses amis ont l'air de s'être échappés d'un groupe d'éjaculateurs précoces anonymes. Je parie qu'une poignée d'entre eux va filer aux toilettes sitôt le show terminé.

Hors de question que je me retrouve de corvée de chiottes…

Mes clients étant occupés à autre chose, je m'attelle au nettoyage de ma partie du bar, faisant mon possible pour penser à autre chose. Malgré tout, de temps à autre, je lance un regard vers la houle qui agite le territoire de Taryn : dès que le type commence à lécher le sel sur le ventre de la pouf, la foule s'enflamme. Je secoue la tête et souris : il n'en faut pas davantage pour embraser le groupe.

Lorsque je retourne la tête vers ma partie du zinc, j'aperçois du coin de l'œil une ombre se profiler dans l'encadrement de la porte du bureau de Cash. J'ai beau y mettre toute ma volonté, mon attention est attirée malgré elle vers cette pièce.

Cash est là, penché contre le chambranle. Il m'observe. Même de là où je suis, je distingue l'intensité de son regard ; je la sens. Inutile pour lui de me dire ce à quoi il pense : je le sais, car les mêmes images s'agitent au fond de mon esprit. Il se souvient de l'instant torride que cette musique nous a offert un soir, sur ce même comptoir.

J'ai l'impression d'être transportée dans le passé comme par magie. Les senteurs, les images, les sons, les sensations de ce moment me reviennent en mémoire, intacts. Lorsque le souvenir me revient du corps de Cash penché sur le mien, une chaleur agréable irradie au creux de mon ventre. Aussitôt, je repense à ses lèvres et à sa langue explorant mon nombril, frôlant le bord de mon débardeur, et la chaleur se change en déferlante, embrase tout mon corps.

Mon pouls s'accélère quand je me rappelle l'intensité de son regard au moment où il s'est emparé du quartier de citron vert que je retenais entre mes lèvres. Ce regard, combien de fois l'ai-je revu depuis? Ses yeux brûlent toujours de cette même flamme lorsqu'il me regarde jouir, lorsque je me déshabille. Maintenant qu'il ne se tient plus qu'à quelques mètres de moi, ce regard est sans équivoque : il a envie de moi. Il veut me prendre ici même, qu'il n'y ait plus rien entre nous que la sueur et nos souffles brûlants. Et il me veut maintenant.

Je ne peux nier que j'en ai envie autant que lui.

Entre nous, la foule exulte, mais je ne détourne pas les yeux pour voir ce qui se passe : impossible de lâcher Cash du regard. Il est l'astre autour duquel mon monde orbite, ce, quels que soient les efforts que je déploie pour résister à l'attraction, pour aider mon cœur et mon corps à reprendre leur liberté… Quoi que je fasse, il m'attire vers lui. Inéluctablement. Implacablement.

Cash lève un sourcil et un désir insensé m'envahit au point que je peine à trouver mon souffle.

Je ne vais pas tenir… J'ai trop envie de lui…

Jamais je n'ai désiré un homme de façon si irraisonnée, si intense. Si vitale.

Et c'est justement ce qui me trouble chez Cash. Ce qui m'effraie…

Quelques types s'éloignent du comptoir, satisfaits du spectacle, et passent entre Cash et moi, rompant le contact visuel qui risquait de me faire défaillir.

Je ne vois plus Cash.

Pour autant, je ne l'en désire pas moins…

Chaque jour, chaque heure, chaque minute que je passe avec lui, il s'incruste peu à peu sous ma peau telle une encre indélébile.

—Tu dois être Olivia, lance derrière moi une voix teintée d'un léger accent.

Je reviens au réel et détourne mon regard de la porte du bureau. Lorsque mes yeux se posent sur le propriétaire de cette voix inconnue, je sens que, sans que je ne puisse rien y faire, la mâchoire m'en tombe : s'il existe sur Terre un homme moins sexy que Cash —et d'un cheveu seulement–, ce doit être ce type.

Putain, ce type est canon !

Des cheveux noirs coiffés à la Tom Cruise dans *Top Gun* agrémentent le visage mat typique des mecs irrésistibles. Sourcils larges, pommettes hautes, nez droit, bouche de statue grecque et mâchoire carrée : un dieu descendu parmi les hommes. Et les femmes. Mais ce qui me frappe le plus, c'est son sourire radieux et ses yeux aux reflets bleu océan : voilà ce qui achève de faire de lui un type totalement irrésistible.

Pour autant, alors même que je catalogue ses qualités et liste les traits qui font de lui un apollon, je remarque qu'il ne suscite en moi aucune once de désir, pas la moindre étincelle d'envie. Il est superbe, un vrai plaisir pour les yeux, semble –de prime abord– être un type charmant et honnête, mais… il n'est pas Cash. C'est aussi simple que ça. J'en conclus aussitôt qu'il n'existe qu'un homme sur cette planète pour moi : tout ce que j'espère, c'est qu'à ses yeux, il n'existe pas d'autre femme à la surface du globe.

En face de moi, le nouvel arrivant, perplexe, hausse les sourcils. Soudain, ses mots me reviennent en mémoire.

—Et qu'est-ce qui vous fait dire ça ? lui demandé-je aimablement, le sourire aux lèvres.

Son sourire devient plus généreux encore. Contagieux, il me met aussitôt à l'aise.

—Pour commencer, Olivia est un prénom qui ne va qu'aux belles femmes, et tu es incontestablement une jolie fille. Ensuite, tu es la seule employée que je ne connais pas, et la seule employée que je ne connais pas, c'est Olivia.

Il se penche légèrement et me regarde du coin de l'œil, le visage bienveillant et joueur.

— Sois honnête, tu es totalement soufflée par mes pouvoirs de déduction, hein ?

Ses yeux pleins de malice sont à ce point irrésistibles que je ne peux m'empêcher de rire de bon cœur.

— OK, vous m'avez eue. Je l'avoue sans rougir : je suis totalement bluffée par votre perspicacité.

Il acquiesce.

— J'en étais sûr. Ça étonne tout le monde.

Soudain, il se redresse et me tend la main.

— Gavin. Gavin Gibson. J'aide Cash à gérer le bar.

— Gavin Gibson ? On dirait le nom de l'identité civile d'un super-héros. Je suis sûre que vous cachez une cape sous votre chemise…

— Navré, mais je stocke tout mon attirail de super-héros dans mon caleçon.

Il m'adresse un clin d'œil malicieux, et je lui souris.

— Vous flirtez avec toutes les employées de l'*Hypnos Club*, monsieur Gibson ?

— *Monsieur Gibson ?* répète-t-il, visiblement vexé. J'ai l'impression que tu t'adresses à mon père.

— Désolée… Gavin.

— Voilà qui est mieux. Et pour répondre à ta question : non, je ne flirte pas comme ça avec toutes les employées. Ce ne serait pas très professionnel de ma part. Qui plus est, aucune autre employée ne rivalise avec toi ; sans cela, je serais vraiment dans la panade.

— Dis donc, Gavin, tu ajoutes le harcèlement sexuel sur le lieu de travail à ton tableau de chasse ? lance Cash qui vient se poster au bar à côté de son adjoint.

Si le ton de Cash est jovial, son expression ne l'est pas le moins du monde. Gavin s'accoude au comptoir et se tourne vers le maître des lieux.

— Je l'avais déjà dans mon arsenal, mais tu n'avais jamais embauché personne digne que je le dégaine, plaisante-t-il en m'adressant un nouveau clin d'œil. Mais cette fille-ci mérite que je perde mon boulot.

— Crois-moi, si tu poses la main sur elle, tu perdras plus que ton boulot.

Gavin sourit encore lorsqu'il lève les yeux vers Cash, mais son regard perd soudain de sa malice : Cash n'a plus l'air de plaisanter. Gavin se redresse, se tourne vers moi, puis de nouveau vers Cash. Il a compris. Il acquiesce et donne une tape amicale sur l'épaule de Cash. Ils font presque la même taille, mais Cash est un peu plus grand que son adjoint.

— Message reçu, mon pote. Je ne savais pas.

Gavin se tourne alors vers moi et m'adresse un sourire chaleureux.

— Ravi d'avoir fait ta connaissance, Olivia, mais, si tu veux bien m'excuser, Cash et moi devons discuter.

Cash ne bouge que lorsque Gavin s'est retourné et se dirige vers le bureau. Il baisse vers moi ses yeux d'encre : son regard profond me déstabilise et, lorsqu'il se retourne enfin pour suivre Gavin, c'est pour m'abandonner derrière le bar, troublée par ce qui vient de se passer.

10

CASH

JE DOIS REDOUBLER D'EFFORTS POUR NE PAS CLAQUER LA porte derrière Gavin et moi. Je bouillonne, et Gavin me connaît assez pour le percevoir.

— Je suis désolé, vraiment. Je ne savais pas que vous étiez ensemble.

Je sais qu'il ne ment pas, mais cela n'aide en rien à apaiser ma colère. Voir Olivia sourire ainsi à quelqu'un d'autre, c'était plus que je ne pouvais en supporter.

— Tu ne peux pas te comporter comme ça avec les employées, Gavin ! Tu sais dans quelle merde ça peut nous foutre auprès des tribunaux ?

Il lève les mains comme un adversaire vaincu.

— J'ai déconné, Cash, désolé : ça ne se reproduira plus. J'ai baissé ma garde…

— Et c'était la dernière fois. Je ne plaisante pas.

— Promis, annonce-t-il, plus solennel que jamais.

Après quelques secondes de silence, pourtant, il commet une deuxième erreur.

— Mais, putain, elle est vraiment sexy, celle-ci !

Son accent est plus marqué quand il est enthousiaste. J'enrage : il a le même tic quand il se la joue avec les filles.

— Arrête tes conneries ! lâché-je d'un ton sec.

Gavin sourit et acquiesce lentement, comme s'il venait de comprendre quelque chose.

—Oh, donc… c'est du sérieux, ton histoire.

—Je n'ai jamais dit que c'é…

—C'est évident, Cash : je te connais, mon pote. Depuis un bail. J'en ai croisé des filles à ton bras, et t'en as jamais rien eu à foutre que je flirte avec elles.

—T'as jamais flirté avec mes…

—Mon cul, oui ! Tu l'as jamais remarqué surtout !

Je n'arrive même pas à recouvrer mon calme, à tel point que je ne parviens pas à me remémorer si ce qu'il dit est vrai. Alors, je décide que je n'en ai rien à foutre. Tout ce qui compte, c'est qu'il ne s'approche pas d'Olivia. Qu'il ne la regarde même pas.

—Olivia, c'est… Elle est…

—Pas la peine d'en dire plus, mec. À partir de maintenant, c'est ma petite sœur. Basta.

Je le regarde, le dévisage presque. Dans ses yeux, je lis toute l'amitié qu'il me porte et toute la confiance que j'ai raison de lui accorder. Il est mon ami, mon partenaire au boulot comme dans la vie, et l'une des seules personnes sur cette planète sur qui je puisse compter. Et je sais qu'il pense ce qu'il vient de me dire.

J'acquiesce à mon tour.

—Très bien. OK, alors.

Gavin s'enfonce un peu plus dans son fauteuil, une cheville sur un genou, et cale ses mains derrière sa tête. Pour lui, l'orage est passé.

—Alors ? Tu m'expliques le souci ? J'ai l'impression que c'est vraiment important.

Le fait que je sois à cran ne lui a pas échappé, forcément. Gavin reste un type plein d'empathie, et il me connaît mieux que personne. Son père était militaire ; ils ont souvent déménagé. Sa famille a passé sept ans en Australie quand il était gosse. C'est de là que lui vient son léger accent.

94

Quand Gavin était ado, ils se sont installés en Irlande. Je ne sais trop comment, son père s'est retrouvé embarqué dans un conflit entre deux groupes de miliciens… Résultat : lui, la mère et la sœur de Gavin ont fini six pieds sous terre. De longues années plus tard, Gavin a fini par s'illustrer dans un autre type de groupes armés. Le genre de groupuscules qui ne laissent pas de témoins.

Il a joué les mercenaires pendant pas mal de temps… Il est un peu plus vieux que moi – il doit avoir un peu plus de la trentaine –, et c'est une vraie arme de guerre. Jamais je n'ai vu un type exceller comme lui dans le domaine militaire. C'est un combattant et un stratège de talent, et je remercie le destin qu'il soit mon ami… Qu'il soit dans mon camp.

En plus d'être sacrément futé – et d'avoir accumulé bien d'autres expériences dans divers domaines –, le bougre est pilote. C'est dingue, mais je pense qu'il est capable de soumettre à peu près n'importe quel véhicule à sa volonté : Cessna, petits jets, hélicoptères… Pour tout dire, il bosse même dans le milieu depuis qu'il a laissé tomber le mercenariat : quand il ne m'aide pas au club, il donne dans le vol charter avec son hélico.

C'est mon père qui nous a présentés. Quand il a commencé à se distancier de la *Bratva*, la mafia russe, il lui est arrivé de temps en temps de faire appel à Gavin. Ce dernier était à la fois compétent et discret, et mon père s'est vite rendu compte que c'était un type de confiance capable de faire les bons choix même dans des situations délicates.

Gavin est resté en contact avec mon père après sa mise au trou. Quand il a commencé à avoir des soucis de trésorerie, mon père, reconnaissant, l'a mis en contact avec moi pour qu'il puisse mettre un peu de beurre dans ses épinards. Entre nous, ça a collé tout de suite, et, depuis ce jour, Gavin est mon meilleur ami… et ce qui se rapproche le plus d'un parent. Inutile de dire qu'avec un père en prison et aucun proche en liberté, j'attendais ce genre de relation de confiance depuis des années.

Aujourd'hui, je vais avoir besoin plus que jamais de son expertise et de sa discrétion.

—Mon père t'a raconté en détail pourquoi il avait fini en taule?

Gavin m'explique ce que mon père lui a avoué, et je comble les vides. La plupart, en tout cas. Par exemple, je garde pour moi la mort de Nash et le fait que je mène une double vie depuis sept ans. J'aimerais garder ça pour moi aussi longtemps que possible. Ces infos-là nécessitent une accréditation de confiance que je concède à bien peu de gens. D'ailleurs, à bien y regarder, il n'y a guère qu'une personne qui jouisse d'une telle autorisation…

Olivia.

—Si je comprends bien, t'as pas la moindre idée de qui va pointer son nez au club d'ici… (Gavin regarde sa montre), moins de vingt minutes?

—Pas la moindre. Tout ce que je sais, c'est que mon père doit penser que ce type a je ne sais quelle info en stock qui pourrait m'aider, ou un moyen de nous sortir du merdier sans qu'on ait à sacrifier quoi ou qui que ce soit.

—OK…, acquiesce-t-il, pensif. Pas la peine de faire des copies des registres: s'ils le découvrent, tu finiras avec deux balles dans la nuque. Quand des types comme ça te laissent une chance de t'en sortir, ils ne tolèrent pas vraiment que tu essaies de les arnaquer.

—Sans compter qu'il n'y a pas que le fait de leur révéler les infos qui me permettraient de faire sortir mon père de taule qui m'inquiète: ces types ne laissent pas de témoins. Jamais. Il faut que je trouve un moyen d'assurer la sécurité d'Olivia. Une sécurité totale jusqu'à la fin de ses jours. En somme, soit je leur règle leur compte, soit… je ne sais pas, en fait. Mais, je dois trouver quelque chose. Je dois tout faire pour qu'il ne lui arrive rien.

Gavin se frotte le menton.

—Pas évident. C'est toujours dangereux de sous-estimer ce genre de types. Cela dit, t'es un bon stratège et l'un des gars les plus rusés que j'aie croisés dans ma vie. Et j'en ai croisé, des gusses : j'ai bossé aux quatre coins du monde avec une flopée de champions. T'aurais fait un mercenaire du tonnerre, tu sais ? T'as peut-être pas grand-chose en tête là, tout de suite, mais je suis sûr que dès que le type de ton père va se pointer, tu vas vite savoir quoi faire. Greg et toi, vous vous ressemblez beaucoup. Et vu le genre d'homme qu'est ton père, je suis sûr que ton visiteur mystère va changer la donne.

Je pince la peau entre mes deux yeux pour tenter de calmer les élancements qui m'assaillent.

— J'espère que tu as raison. Dans le cas contraire, j'ai jusqu'à 9 h 30 demain pour trouver une solution. Ils me laissent une demi-heure après l'ouverture de la banque pour récupérer les livres de comptes et les leur remettre.

— Mais les fameux livres ne sont pas à la banque, c'est ça ?

— C'est ça.

J'ai confiance en Gavin, mais j'hésite tout de même à lui montrer mon jeu.

— Tu leur as dit de quelle banque il s'agissait ?

— Non, pourquoi ?

— Ça va peut-être nous aider. Niveau timing, j'entends. Et puis, comme ça, ils ne pourront pas t'attendre à la sortie. Tu sais comment ils fonctionnent : esquive leur moindre piège.

— Tu as raison. Plus on a de temps devant nous et moins ils en savent, plus on a de chances de s'en sortir.

— C'est une règle immuable dans ce métier.

Gavin et moi continuons à échanger, attendant l'heure fatidique. Notre discussion me permet de ne pas arpenter la pièce de long en large avec nervosité : je déteste attendre. Je déteste ne pas avoir toutes les cartes en main. Je déteste être le dernier au courant. Et, plus que tout, je déteste m'inquiéter de savoir si je vais ou non pouvoir garder Olivia en sécurité. Il y a trop d'inconnues dans l'équation, trop de personnes impliquées, trop de variables. Ce dont j'ai besoin, c'est de voir débouler au plus vite la connaissance de mon père, de façon que je recouvre un minimum de contrôle sur la situation.

Pendant de longs mois après l'accident, j'avais soif de revanche. De sang. Je ne pensais plus qu'à une chose : faire payer ceux qui avaient tué ma mère et mon frère, et qui s'étaient débrouillés pour que mon père porte le chapeau et finisse derrière les barreaux. Mais au fil du temps, à mesure que je vivais dans la peau de Nash, le jeune étudiant en droit, je me suis rendu compte que la loi m'offrait peut-être un moyen d'étancher ma soif de vengeance et de libérer mon père. Rien que pour ça, cela valait la peine de ne pas répondre à l'appel du sang. Alors, c'est ce que j'ai fait : je me suis échiné à obtenir un diplôme de droit, et j'ai épluché autant que possible les cas similaires, afin de prouver un jour à un tribunal que mon père avait injustement souffert – bien trop –, et que justice devait être faite.

Mais aujourd'hui, mes plans sont menacés. À moins, bien sûr, que l'atout que mon père a tiré de sa manche soit un atout gagnant…

Quarante minutes plus tard, une heure avant la fermeture, l'atout en question passe la porte de mon bureau.

Et, bordel, jamais je ne me serais attendu à une carte pareille…

11

OLIVIA

J'IGNORE COMMENT J'AURAIS PU NE PAS LE REMARQUER. Émanent de lui une dangerosité et une indifférence totale à tout ce qui l'entoure. Les hommes doivent le craindre ; les femmes le désirer…

M'est avis que ce sont les phéromones de Taryn qui provoquent cette sensation inconfortable au fond de ma gorge. Si elle ne prend pas une douche froide, tout le monde ici va finir par suffoquer. Je ne prends même pas la peine de jeter un regard vers elle : je sais qu'elle l'observe, postée derrière le comptoir. Je ne serais pas étonnée non plus qu'elle s'apprête à l'aguicher en jouant les chattes brûlantes. Je ne lui jette pas la pierre, pour le coup : l'homme a de quoi séduire.

Il est grand, autant que Cash, et qu'il porte un blouson de cuir et des lunettes noires en boîte à une heure avancée de la nuit ne fait que le rendre plus remarquable encore. Mais il n'y a pas que ça. Tout chez lui attire l'attention. Même au sein de la foule la plus dense, ce type ne pourrait pas passer inaperçu.

Sur son passage, la foule s'écarte. J'ignore si les clients le craignent ou s'il leur impose un respect tel qu'ils ne peuvent faire autrement que se soumettre.

Ses cheveux lui tomberaient certainement au menton, aux épaules, peut-être, s'ils n'étaient pas attachés en une queue-de-cheval blond paille au-dessus de sa nuque. À la racine, ils sont plus sombres, preuve, peut-être, qu'il travaille souvent au soleil.

Sur son menton, un bouc clair et dru masque trop son visage pour que j'en devine les détails, et ses lunettes n'arrangent rien. Pour autant, il ne m'est pas totalement étranger. L'ai-je déjà vu au club ? Pas habillé ainsi, bien sûr, mais de façon plus *casual*, peut-être.

Sans s'arrêter une seule seconde, il se dirige droit vers le bureau de Cash et disparaît à l'intérieur. Le temps semble s'arrêter après qu'il a quitté la pièce, comme si sa démarche lente et imposante avait hypnotisé l'assistance. Trente secondes plus tard, la vie reprend ses droits et tous ici semblent avoir oublié l'apparition.

Moi, en revanche, je suis plus curieuse que jamais de savoir qui est ce type.

12

CASH

HEUREUSEMENT QUE JE SUIS ASSIS LORSQU'IL ENTRE DANS la pièce. De la même façon, heureusement que je ne suis pas en train de manger ou de boire quoi que ce soit. Quelle ironie cela aurait été d'avoir attendu si longtemps pour mourir étouffé en voyant débarquer notre visiteur mystère.

Un visiteur mystère qui n'est autre que mon frère jumeau.

Nash.

— Bordel de m...

La première chose que je ressens à sa vue, c'est un soulagement insondable. Une joie insondable, aussi : mon frère n'est pas mort... Non, il est tout ce qu'il y a de plus vivant, et il se tient là, en face de moi.

Ses cheveux sont plus longs qu'auparavant ; plus blonds aussi. Son visage, lui, n'a pas changé à mes yeux, mais quand bien même il aurait été marqué par les années, je l'aurais reconnu entre mille. Même modifiés par ce bouc blond cendré, ses traits sont semblables aux miens... En plus durs cependant. Bien plus durs.

Je ressens sa présence ici comme nul autre sur cette terre ne le pourrait. Nous formons un tout, faisons partie l'un de l'autre comme seuls le ressentent les jumeaux.

Au fond, je crois que j'ai toujours su qu'il n'était pas mort : jamais je ne l'ai vraiment senti disparaître, passer de l'autre côté. Je n'ai jamais ressenti son absence comme s'il m'avait définitivement quitté.

Pour autant : que dire de sa présence ici ? Que penser ? Qu'est-ce qui m'a échappé dans cet innommable merdier ? Il ne me faut qu'une seconde pour reconstituer le puzzle et découvrir le visage du maître d'œuvre de cette mascarade.

Papa.

—Papa le savait depuis le début… Et il ne m'a rien dit.

Je viens de prendre une gifle en plein visage. Un coup de pied d'une violence inouïe dans les bijoux de famille. C'est désormais une certitude : je ne peux faire confiance à personne.

Certes, Gavin est un type sûr, et je sais que je peux grandement compter sur lui, mais les deux personnes en qui j'avais confiance m'ont toutes les deux donné des raisons de douter de leur loyauté. De toute évidence, mon père me cachait des choses. Pourquoi ? Je l'ignore, mais je finirai par le découvrir, coûte que coûte dès qu'Olivia sera en sécurité.

Olivia.

Elle est l'autre personne à qui j'ai accordé ma confiance. Elle ne l'a pas trahie à proprement parler, mais elle me semble distante depuis avant-hier, et ça m'inquiète. Je sais qu'elle a beaucoup à gérer émotionnellement, en ce moment, mais ce n'est pas le meilleur moment pour baisser sa garde. Il est trop dangereux pour elle de décider tout à coup que je ne suis pas un mec fiable et qu'il vaudrait mieux claquer la porte. Elle pourrait y laisser sa peau.

Pour moi, ça implique de la convaincre qu'elle peut me faire confiance et que jamais je ne lui ferai de mal ; sans ça, je devrai lui dire adieu. Si elle doute de moi, elle ne sera pas en sécurité. De mon côté, je ne me satisferai que d'une confiance réciproque.

La voix de Nash me ramène au réel et au mystère de sa réapparition.

—Exact. On a tous eu nos raisons d'agir comme on l'a fait. Toi y compris, dit-il avec pertinence.

Il a raison, mais ça ne m'empêche pas de souffrir. J'ai été le seul à ne pas être mis dans la confidence pendant des années. Je suis à deux doigts de m'emporter, lorsque Gavin s'agite à côté de moi, me rappelant que je ne suis pas seul dans le bureau avec mon frère.

Je me tourne vers mon adjoint, mon meilleur ami, dont le regard ne cesse d'aller de moi à Nash. Je comprends à son expression que la situation le laisse perplexe, mais je le trouve moins surpris que ce à quoi je me serais attendu.

— Je t'expliquerai tout plus tard, promis.

Gavin plisse les yeux et acquiesce lentement.

— Pas la peine. Je crois que j'en sais assez, annonce-t-il, avant de se lever et de faire un pas vers Nash. Gavin Gibson. Je ne crois pas qu'on se soit déjà rencontrés.

Bordel, il a compris…

Je m'étais arrangé pour croiser Gavin sous les traits de Nash, un jour, histoire d'ajouter davantage de crédit à ma mascarade. S'il s'était douté de quelque chose, connaissant Gavin, il est évident qu'il ne m'en aurait rien dit ; cette information était susceptible de lui servir plus tard. Dans ce métier – celui de mon père, en tout cas –, je suppose que tout le monde a ses secrets. Et ses armes.

J'adresse un hochement de tête à mon ami. Inutile de jouer la comédie plus longtemps.

Je me retourne vers Nash et croise les bras.

— J'aimerais comprendre aussi, Nash. Tu as des trucs à me dire ?

Nash me regarde, et c'est à ce moment-là – pas au moment où je l'ai revu pour la première fois – que je comprends qu'il a changé. Il ressemble davantage à celui que j'étais avant l'accident : rebelle, dur à cuire… mais il me paraît plus dangereux que je l'ai jamais été.

— Je ne suis pas ici pour rattraper le temps perdu. Je suis venu parce que papa m'a transmis ton message. Pour l'heure, ce dont on a besoin, c'est de se mettre au boulot.

—Tu peux m'en dire plus?

—J'ai de quoi les tenir par les couilles.

—Moi aussi. Le souci, c'est qu'ils le savent. Du coup, ils multiplient les menaces… et je ne peux pas risquer qu'ils les mettent à exécution.

Il ne bouge pas et m'observe. J'ai l'impression qu'il essaie de lire dans mon esprit. Lorsqu'il reprend la parole, je me demande s'il n'y est pas parvenu.

—Ils ont chopé quelqu'un?

—Oui. Une amie. Ils pensent qu'elle compte pour moi.

Il fronce les sourcils une seconde à peine, puis reprend un air impassible.

—Ils pensent qu'elle compte pour toi, répète-t-il. Mais ce n'est pas le cas, c'est ça?

Je hausse les épaules.

—Je dirais même qu'elle me les brise. Pour autant, il y en a une autre qui m'est bien plus chère. Et ils le savent aussi.

Il acquiesce lentement, pensif.

—J'ai assez de preuves incriminantes pour changer la donne, aussi pourrie soit-elle. Reste à les utiliser correctement.

—Pourquoi est-ce que tu ne les as jamais utilisées, ces preuves, si tu avais de quoi faire tomber ces pourritures?

—Papa voulait attendre. Il avait peur de nous mettre en danger. C'est d'ailleurs la seule raison pour laquelle il a agi comme il l'a fait. Il a passé ces sept dernières années en prison pour nous protéger, et non parce qu'il n'avait aucun moyen d'en sortir. Depuis le début, il sait qu'il mène la danse. Il craignait simplement d'abattre trop vite ses atouts; de se planter et de causer la mort de quelqu'un d'autre.

—Donc, les registres de la mafia…

—Ce n'était qu'un de ses atouts. Un atout qui a permis de te garder en vie pendant sept ans, alors je pense qu'il en a usé de façon judicieuse. De son point de vue, en tout cas.

De son point de vue…

Je ne suis pas sûr de comprendre ce qu'il entend par là. Est-ce que Nash m'en veut? Quelle raison aurait-il d'être amer à mon égard? Il savait tout depuis le début, quand j'errais presque à l'aveugle, jouant mon destin avec, pour toute arme, quelques infos lacunaires. Il connaissait la vérité, alors que moi, je n'avais pour seul arsenal que quelques mensonges…

Je m'emporte aussitôt.

—Eh, si tu as un truc à dire, dis-le. J'en ai ras le cul de ces conneries. J'aime pas qu'on vienne me faire chier avec des demi-vérités et trois questions pour une réponse, alors tu craches le morceau ou tu t'arraches d'ici. Je me démerderai autrement; sans toi, ni tes preuves à la con.

Après quelques secondes de silence, Nash esquisse un sourire à peine perceptible.

—Je retire ce que je pensais… Tu as au moins une demi-couille.

Je vois rouge. J'en ai assez de cette merde: de cette vie, de ces mensonges, de cette sombre comédie. J'avance d'un pas vers Nash, bien décidé à lui envoyer mon poing en pleine face. Il sourit comme s'il attendait ça avec impatience. Comme s'il avait hâte qu'on échange quelques coups… Mais Gavin s'interpose.

—Si vous voulez mon avis, les mecs, on a mieux à faire que de découvrir lequel d'entre vous a la plus grosse. Concentrez-vous. Pensez au merdier qui nous attend… Et à Olivia, si ça peut aider.

Ses yeux sont aussi calmes que les eaux bleues auxquelles ils ont emprunté leur couleur. Il ne faut pas plus d'une seconde pour que la sagesse de son intervention m'apaise.

Olivia.

—On en reparlera, soufflé-je à Nash, les dents serrées.

Mon frère m'adresse un lent hochement de tête, un rictus narquois sur le visage. Pendant une fraction de seconde, je meurs d'envie de lui mettre mon poing dans la gueule.

— Plus tard, oui. J'ai hâte d'y être.

À son regard avide, je sais aussitôt qu'il le pense. J'ignore ce qui le rend si virulent, mais je n'en ai plus rien à foutre : j'ai besoin de lui pour une raison précise et, dès qu'on en aura terminé, il pourra retourner d'où il vient et rien ne nous forcera à nous revoir.

— En tout cas, si tu crois que je vais te suivre sans que tu me révèles l'as que tu as dans la manche, tu te plantes, mon pote. Tu te plies à mes règles, point barre.

Nash émet un ricanement moqueur.

— Sauver tes amis, j'en ai rien à foutre. Pour ta copine, c'est la même. Ça fait sept ans que j'attends de faire la peau des salauds qui ont tué maman et brisé ma vie. Je peux attendre encore quelques jours. J'ai mon plan, moi aussi.

— Que t'aies un plan, je m'en tape, tant que tu ne fais pas foirer le mien et que tu ne mets pas en danger les gens que j'aime.

Nash serre les dents.

— Tu t'en tapes ? Tu t'en tapes que quelqu'un ait assassiné notre mère ? Tu t'en tapes que quelqu'un ait organisé un coup monté pour envoyer notre père au trou ? Tu t'en tapes qu'il ait passé sept ans derrière les barreaux pour nous protéger ? Tu t'en tapes qu'on nous ait volé nos vies, avant d'y foutre le feu ? demande-t-il, offensif. Bien sûr… bien sûr que tu t'en tapes. Après tout, c'est toi qui as profité de notre deuil et de notre misère, enfoiré de mes deux…

— Qu'est-ce que c'est que ces conneries, bordel ? De quoi j'ai profité, au juste ? D'avoir fait semblant d'être mon frère modèle et d'avoir vécu sa vie modèle entouré des trous du cul modèles dont il aurait léché le fion s'il avait été en vie ? D'avoir chialé pendant des années la mort de ma mère et de mon frère ? D'être allé voir deux fois par mois mon père en taule en ne pouvant lui parler que posté derrière une putain de vitre ? D'avoir travaillé nuit et jour pour essayer de trouver un moyen légal de le sortir du trou ? C'est de tout ça que j'ai profité ?

Nash recule d'un pas. Gavin semble prêt à intervenir, mais Nash s'arrête.

— En tout cas, ça semble foutrement plus sympa que passer sept ans en cavale. J'ai tout abandonné : mon identité, mes espoirs, tout ce que j'avais, pour honorer ce que désirait notre père. Pour vous protéger tous les deux. Trois fois par an, fallait que je vienne en ville et que je supporte de voir mon frère vivre ma vie. Libre, heureux, vivant. Et moi ? Je devais continuer à faire le mort, à dealer des armes sur un cargo de merde. Et ça a duré des mois… des années. Chaque putain de jour de ma vie, j'aurais échangé nos quotidiens avec grand plaisir.

— Tu la veux, ta vie ? Prends-la, bordel ! J'en ai jamais rien eu à foutre ! Tout ce que j'ai fait, je l'ai fait pour papa. Ne crois pas que tu sois le seul à avoir souffert, Nash !

L'un en face de l'autre, nous nous défions du regard : nous sommes en pleine impasse. Je ne l'admettrai jamais, mais je comprends mieux maintenant pourquoi il est si amer. Tous les deux, nous avons souffert et payé pour des erreurs qui n'étaient pas les nôtres. Mais voilà : la fin de nos emmerdes sera peut-être bientôt là. Bientôt, nous serons libérés du passé. Enfin.

— Je ne doute pas que vous avez beaucoup de choses à vous dire, les gars, mais le moment est mal choisi. Il ne nous reste que quelques heures pour décider d'un plan. Ce que je vous propose, avec tout le respect que je vous dois, c'est de vous carrer vos emmerdes au cul, et de vous mettre au boulot. OK ?

Je regarde Gavin. Même en nous rappelant à l'ordre, il ne s'est pas départi de son expression bienveillante. Parfois, il est presque difficile d'imaginer qu'il soit un tueur aussi efficace… Le fait est qu'il l'est. Il le planque juste comme personne. Et c'est ce qui le rend encore plus dangereux.

— T'as raison. On n'a pas le temps pour ces conneries, acquiescé-je en lisant l'heure sur l'horloge fixée contre le mur. C'est bientôt l'heure de la fermeture : je vais devoir raccompagner

Olivia en lieu sûr et la briefer au moins un peu sur ce qui se passe.

— Tu crois vraiment que c'est ce qu'il y a de plus futé à faire ? crache Nash d'un ton sec.

— J'en suis assez convaincu, oui. Elle est en droit de savoir ce qui se passe. Elle risque sa vie à cause de moi ; à cause de nous. Alors, oui, je pense que c'est ce qu'il y a de plus futé à faire. Qui plus est, plus elle se montrera coopérative, plus cette histoire a des chances de bien se terminer.

Nash lève les yeux au plafond et secoue la tête. De toute évidence, il n'est guère enthousiaste. Mais, s'il est encore nécessaire de le répéter : je n'en ai rien à foutre. Je ne lui demande pas d'être d'accord avec moi, mais de me filer les cartouches qui me permettront de protéger Olivia pour toujours. Après, ce qu'il fait, ce qu'il devient, je m'en astique la rate à la soude.

13

OLIVIA

LES GRANDS TYPES LOUCHES SEMBLENT SE SUCCÉDER DANS le bureau de Cash, aussi, l'heure de la fermeture venue, je ne suis pas rassurée à l'idée de m'y rendre. Pourtant, j'y vais. Je n'ai pas vraiment le choix, pour tout dire : j'en ai ma claque de toutes ces cachotteries. Je veux comprendre ce qui se passe.

Au moment où je récupère mon sac sous le comptoir, la porte du bureau de Cash s'ouvre. Un rai de lumière file au travers de la salle, et, le cœur battant, j'entends des voix graves converser discrètement.

La porte s'ouvre davantage, et la silhouette massive de Cash se découpe dans la lumière. Ses yeux se posent sur moi, puis il rive son regard dans le mien.

— Tu es prête ?

J'acquiesce.

Il se retourne, échange quelques mots avec un des deux autres, traverse la salle, puis ferme l'entrée principale du club. Je l'observe, trop apeurée pour faire le moindre geste. Sans plus de travail à faire, sans aucun client derrière le comptoir, la tension est insoutenable.

Comment est-ce que je me suis retrouvée dans cet enfer…

Avant que j'aie pu formuler un embryon de réponse, Cash se dirige vers moi, le visage dur.

—Viens dans mon bureau. Il faut qu'on parle.

Mon pouls s'affole et la peur me glace le sang. Cash m'attend devant la porte intégrée au comptoir qui sépare le bar de la salle. Lorsque je pose un pied devant lui, il place une main au creux de mes reins et me guide jusqu'à son bureau.

Quand j'entre dans la pièce, je découvre Gavin assis dans le fauteuil de Cash, derrière son bureau et, le dos tourné, l'étranger à la queue-de-cheval. Gavin lève les yeux vers moi et sourit.

—Olivia.

Je lui souris à mon tour, mais sens mes traits crispés ; à tel point, d'ailleurs, que j'ai l'impression que mon visage est sur le point de se fendiller. Dans quelques heures à peine, Cash va partir récupérer Marissa. Qui sait ce qui va se passer ?

Mon estomac me brûle, et ma bouche se charge de salive. Je ferme les yeux et respire un grand coup. Lorsque je les rouvre, l'étranger s'est tourné dans ma direction. Les fesses posées contre le bureau, les bras croisés, il a retiré ses lunettes… et c'est comme s'il avait tombé le masque.

Mon cœur tressaille lorsque je reconnais l'ébène typique des yeux de Cash. Sauf que ce ne sont pas les yeux de Cash. Pas tout à fait…

Cash vient se poster à côté de l'étranger, juste devant moi. Mes yeux passent à plusieurs reprises de l'un à l'autre, et je n'ai aucun besoin de demander qui se trouve devant moi ; en revanche, j'ai besoin de savoir comment il est possible qu'il se trouve ici, dans le bureau de Cash, lui qui est censé être mort.

Bon sang, c'est encore pire que ce que je craignais !

—Nash…, bredouillé-je, aussi calme que possible, même si mon corps entier est sur le point de s'effondrer.

Il me sourit, mais de la bouche seulement : ses yeux restent impassibles.

—Rassurant, lâche-t-il, avant de se tourner vers Cash. Enfin quelqu'un qui sait se servir de ses neurones.

J'ignore ce que c'est censé vouloir dire, mais je n'ai pas le temps de m'en soucier. Tout ce que je veux, c'est comprendre ce qui se passe, ce qu'on attend de moi et comment on va tous pouvoir se sortir de cette situation digne du plus tortionnaire des scénaristes. Le reste attendra.

— Tu as l'air plutôt en forme pour un macchabée.

— C'est grâce à mon frère que je respire encore. C'est un dieu vivant, hein ?

Inutile d'être particulièrement empathique pour saisir l'ironie de sa remarque.

— C'est vrai, mais tu n'as pas l'air d'en être si satisfait que ça.

— Je devrais être satisfait qu'on usurpe mon identité ?

Un éclair de rage zèbre tout à coup son regard. Je retiens mon souffle, mais pas plus d'une seconde. Pour une raison étrange, avec Cash à mes côtés, ce type ne me fait pas peur. Seule, oui, j'aurais paniqué, mais, à cet instant précis, je me sens pleine de courage.

— Pourquoi pas ? Tu es plutôt gagnant dans l'affaire : tu as décroché un diplôme de droit sans avoir besoin d'aller à la fac, un job sans avoir à te battre, et une situation financière enviable sans avoir à suer la moindre goutte. De mon point de vue, Cash s'est coltiné le plus dur du boulot.

Je lance un regard à Cash : il m'observe et m'adresse un sourire franc et satisfait. Presque suffisant. Il m'honore d'un clin d'œil pétillant, et je sens mes pommettes rosir. Il a l'air comblé que je me batte pour lui.

Nash se redresse et fait un pas en avant. Mon instinct me dicte de reculer, même s'il est encore loin de moi, mais je ne bouge pas d'un pouce.

— Si ma vie avait été différente, j'aurais trouvé tes remarques pertinentes. Mais voilà : dealer des armes sur un bateau de merde, ce n'est pas très folichon. Oh, et tu savais que je ne rentrais au port qu'une fois tous les deux ou trois mois ? Et que je devais me déguiser pour venir m'assurer que mon frère vivait sans encombre sa vie de pacha ? Enfin, ma vie, en théorie… Au final, je me dis que, la gratitude, c'est assez subjectif comme truc, non ?

Une vague de culpabilité m'envahit aussitôt, et je reste muette. Je me tourne vers Cash ; il regarde Nash, plus sévère que jamais. Je jette un coup d'œil à Gavin qui, lui, semble atterré et impatient de passer à autre chose. Et puis, je pose de nouveau les yeux sur Nash ; sous son masque de pierre, son univers entier semble en ruine.

—Je suis… je suis navrée, m'excusé-je le plus sincèrement du monde. Je ne savais pas. Je pensais que…

Nash lâche un petit rire.

—C'est bien de penser. Savoir, c'est mieux.

Il fait un pas en arrière et se cale de nouveau contre le bureau. Je ne prends pas mal sa remarque : son amertume est plus que légitime. Cash et lui ont tous deux souffert plus que de raison, et je ne pourrais ressentir plus de peine à leur égard qu'à cet instant ; pour tout ce qu'ils ont perdu, tout ce qu'ils ont dû traverser à cause des erreurs commises par leur père.

—Peut-être qu'une fois cette histoire terminée, tu n'auras plus à vivre caché, dis-je d'une voix bienveillante.

Nash rive son regard dans le mien : je sens qu'il ne demande qu'à y croire, et mon cœur se serre.

—Peut-être qu'un jour, j'aurai le droit de jouir d'une véritable liberté, d'un travail, d'une vie… D'une fille.

J'ignore si c'est de moi qu'il parle, mais son regard est si intense que je me sens rougir.

Ce qu'il ressemble à son frère, bon sang !

Cash avance et vient se placer à mes côtés. Lorsqu'il parle, sa voix semble prête à se briser.

—Si on joue cette manche correctement, on a peut-être une chance de reconquérir nos vies… et tu pourras trouver ta liberté, ton job, ta vie… et la fille qu'il te faut.

Cash passe un bras à ma taille. Son geste possessif me donne envie de sourire : les hommes et leur parade de coq !

De toute évidence, mieux vaut changer rapidement de conversation. La tension n'est pas loin d'avoir raison de moi !

— Alors ? Vous savez ce que vous allez faire demain ?

Cash soupire.

Merde…

— Je crois, oui…

Il file fermer la porte du bureau, puis revient, la tête basse.

— Alors ?

— Nash a une info que nous pourrons utiliser pour les faire chanter une fois que nous aurons échangé les registres contre Marissa.

— Quelle info ?

S'ensuit un silence durant lequel j'ai l'impression qu'ils se demandent tous les trois s'il est bien sage de me répondre. Je leur interdis aussitôt de s'aventurer sur cette voie :

— Si vous avez en tête de me cacher quoi que ce soit alors que je suis moi aussi sur leur liste noire, vous vous plantez copieusement. Vous avez besoin de ma coopération, non ? Qu'est-ce qui m'empêche de filer chez les flics et d'en finir avec tout ça ?

Je déteste devoir utiliser cette cartouche. Je pense que Cash sait que je bluffe, mais pas les autres. Comment le pourraient-ils ?

Gavin parle le premier.

— Dis-lui, mec. C'est toi-même qui nous as dit qu'on pouvait lui faire confiance.

Je ne mentirai pas : je suis ravie d'apprendre que Cash leur a parlé de moi en ces termes. Dans le même temps, je me sens coupable d'avoir douté de lui ces derniers jours…

— L'après-midi de l'accident, Nash était parti faire quelques courses en prévision du voyage. Quand il est revenu, il s'est arrêté sur les quais pour filmer des filles qui bronzaient *topless* sur un yacht… Sans le savoir, il a aussi filmé l'enfoiré qui a provoqué l'accident.

—Comment ça ?

—Le type qui a déclenché la bombe.

Je déglutis.

—C'est pas vrai…

—S'ils apprennent qu'il a cette preuve, ils voudront tous nous dézinguer. Je pense que mon père a eu raison de cacher son jeu jusqu'ici. Ce genre de preuve est à double tranchant.

—Si je comprends bien, vous allez leur remettre les registres… et ensuite quoi ? Les vidéos vont…

—Nous garder en vie.

—Mais comment ? Je ne comprends pas. Ce sera la même histoire qu'avec les registres ! Ils vont savoir qui est en possession de la vidéo, et ils vont le traquer.

Je commence à me sentir nauséeuse rien que de penser au genre de torture que les mafieux seraient capables d'infliger pour mettre la main sur une preuve aussi incriminante que cette vidéo.

—Pas tout à fait. Il y a autre chose. Notre père m'a fait envoyer deux messages. Nash est le premier. Nous ne savons pas encore qui ou ce qu'est le second. Nash pense que la combinaison de la vidéo et de ce deuxième atout nous permettra d'en finir une bonne fois pour toutes.

—Une bonne fois pour toutes ? Et comment, exactement ?

—En nous débarrassant du mal à la racine.

—Et c'est censé vouloir dire quoi ? Formulé comme ça, on dirait que vous comptez tuer quelqu'un…

—Non… Pas nous.

Je me tourne vers chacun des trois garçons… Ils sont sérieux.

—Dites-moi que vous plaisantez…

Ils restent silencieux.

—Vous n'avez pas prévu de faire tuer qui que ce soit ? Cash ?

Silence.

La tête me tourne. C'est comme dans les films… en cent fois pire. Ce n'est plus de la fiction. J'ai l'impression de nager en plein délire. Comment est-ce que j'ai pu me retrouver dans une situation aussi insensée ? Toute cette histoire, c'est… c'est…

Cash vient se poster devant moi et se penche jusqu'à ce que son visage ne soit plus qu'à quelques centimètres du mien.

—Olivia… Ces types sont des criminels, et je ne parle pas de paumés qui ont braqué une épicerie. Je parle de tueurs. D'assassins. S'ils pensent que l'un d'entre nous est une menace pour eux, ils n'hésiteront pas une seconde à le rayer de la carte. Toute cette histoire, Olivia, est bien plus dangereuse que tu peux l'imaginer.

Je fouille son regard. Au vu de la conversation, je m'attends à voir sur son visage se dessiner les traits d'un monstre… mais il n'en est rien. Je ne vois que ceux de l'homme dont je suis en train de tomber chaque jour plus amoureuse ; et je me demande s'il est encore possible pour moi de plier bagage…

—Qu'est-ce que tu attends de moi, au juste ?

Ses yeux rivés dans les miens, il se redresse.

—Laissez-nous une minute, les gars, lance-t-il à Gavin et Nash.

Lentement, les deux hommes quittent la pièce. Cash prend ma main, puis me guide, après la porte, vers la cuisine de l'appartement qui jouxte son bureau. Lorsqu'il lâche ma main, je m'adosse à un placard pour ne pas m'effondrer. Mon cœur bat si fort que je me demande si Cash peut l'entendre.

Cash me tourne le dos. Il se passe une main dans les cheveux, puis soupire.

—Tout ce que je te demande, Olivia, c'est de me faire confiance, dit-il, avant de se tourner vers moi. Fais confiance à ce que tu sais de moi. Je te le demande, parce que je sais qu'au-delà de tes peurs, tu sais qui je suis. Au fond de toi, tu connais ma vraie nature. Tu l'as perçue, Olivia…

Sa voix ne saurait être plus sincère. Je devine une certaine détresse sur son visage. Je m'approche et, les yeux clos, appuie ma

115

tête contre la sienne : ce visage magnifique qui habite mes rêves comme mon éveil. Lorsque je sens ses mains se poser sur mes joues, je rouvre les yeux. Cash est d'une beauté à couper le souffle, et ses yeux d'un noir insondable m'attirent comme le chant des sirènes… vers ma perte, qui sait ?

— Je suis là… Moi, murmure-t-il d'une voix douce. Bâillonne tes peurs et tes doutes. Fie-toi à ce que tu ressens quand je t'embrasse… quand je te touche. Ne pense pas avec ta tête. Tu me connais et, lorsque mes lèvres se posent sur les tiennes, tu sais me faire confiance.

Comme pour appuyer son propos, il penche soudain la tête et caresse mes lèvres. Nos yeux s'embrasent. Comme chaque fois.

— Quand mes mains se posent sur toi, tu me fais confiance.

Cash laisse ses mains glisser le long de mes bras, se poser sur mes hanches, puis remonter lentement sous mon débardeur. J'en ai des frissons dans le dos.

— Quand tu arrêtes de réfléchir et que tu te laisses aller, tu me fais confiance.

Il caresse d'abord mon ventre, mon torse, et prend mes seins dans ses mains. Ses pouces caressent mes tétons à travers le fin tissu de mon soutien-gorge, puis il les masse avec délicatesse. Je retiens mon souffle.

— Tu vois ? Tu ne réfléchis plus. Tu te laisses aller. Là, tu perçois ma peau, mon corps, mon âme. Là, tu me fais confiance. Tu sais que je ferais n'importe quoi pour toi et que jamais je ne te ferai de mal. Tu sais qu'à mes yeux, tu n'es pas comme les autres… Je sais que tu le sais. Et je sais que tu as envie de moi autant que j'ai envie de toi.

Il a raison. Sur toute la ligne. Qui plus est, j'ai toujours envie de lui… à un point que cela en devient absurde parfois : maintenant, par exemple, alors que nous ne savons ni l'un ni l'autre de quoi demain sera fait. D'un autre côté, ce n'est pas si insensé : si tout déraille, c'est peut-être la dernière fois que je vois Cash ou que nous partageons ce genre d'instants.

Cette seule pensée suscite aussitôt en moi un sentiment de crainte autant qu'un irrépressible besoin de lâcher prise. Je me retiens de prononcer quelques mots qui me brûlent les lèvres : des mots d'amour et de loyauté. Des mots qui n'ont leur place ni ici, ni maintenant ; je les prononcerai lorsqu'il n'y aura plus d'appréhension entre nous. Je les gâcherais, sinon…

Quoi qu'il en soit, il nous reste ce soir, et je compte bien lui faire comprendre ce que je ressens en lui donnant tout ce que j'ai à offrir.

— Dis-moi que tu as envie de moi, m'ordonne-t-il d'une voix basse et éraillée par le désir.

Je n'hésite pas une seconde. Je lève une main et caresse du bout des doigts sa lèvre inférieure aux lignes si parfaites.

— J'ai envie de toi.

— Dis-moi que tu as confiance en moi.

— J'ai confiance en toi.

Son souffle chaud effleure mon visage.

— Maintenant, dis-moi que tu veux que je te touche.

Ses mains ne bougent pas, posées sur mon soutien-gorge. Je veux qu'elles s'activent… Il faut qu'elles s'activent.

— Je veux que tu me touches.

Ses yeux sont deux charbons ardents : le regard rivé dans le mien, il glisse ses mains sous mon soutien-gorge… Je sens ses paumes fermes contre mes tétons, et le bout de mes seins se tend sous leur caresse. Il les pince doucement entre ses doigts, et je frissonne de plaisir. Je me mords la lèvre inférieure pour ne pas gémir.

— Dis-moi que tu veux que je lèche tes seins, que je les prenne dans ma bouche, dit-il d'une voix qui glisse sur ma peau comme un drap de velours.

— Je veux que tu lèches mes seins…

Aussitôt, il fait passer mon débardeur par-dessus ma tête. Je peine presque à respirer… Lorsqu'il passe ses mains dans mon dos pour dégrafer mon soutien-gorge, il cherche de nouveau mon regard.

—Et? me demande-t-il, refusant de me donner ce dont j'ai envie tant que je ne l'aurai pas articulé.

—Et je veux… que tu les prennes dans ta bouche.

Cash se penche alors et fait jouer sa langue habile sur l'aréole avant d'aspirer délicatement la pointe dressée de mon sein entre ses lèvres. Sa bouche est chaude, affamée. Je glisse mes doigts dans ses cheveux, le maintiens contre moi. Il suce mon sein, le mordille… puis, sa bouche se déplace et offre au second le même traitement. Lorsqu'il lève de nouveau la tête, ses yeux brûlent de désir.

—Dis-moi de retirer ton pantalon.

Ma respiration est haletante, mais je n'hésite pas une seconde.

—Retire mon pantalon…

Ma phrase à peine terminée, il s'occupe du bouton et de la fermeture Éclair de mon jean.

—Dis-moi que tu veux que je glisse mes doigts en toi.

Sa voix est rauque, et sa main immobile repose à quelques centimètres de là où je brûle qu'elle s'aventure. L'impatience me torture.

—Je veux que tu glisses tes doigts en moi.

Aussitôt, il plaque sa main contre mon ventre, force l'élastique de ma culotte et glisse deux longs doigts entre mes lèvres. Mes genoux tremblent tant que je dois m'agripper derrière moi pour ne pas tomber.

Cash ferme les yeux et émet un gémissement grave.

—Tu es trempée… Tu sais quel effet ça me fait?

J'acquiesce.

—Oui, je le sens…

—Demande-moi de te goûter.

Lentement, il retire ses doigts de mon sexe chaud. Mes hanches accompagnent son mouvement.

—Goûte-moi…

Cash me répond aussitôt d'un geste lent et provocant : il lève sa main et glisse ses doigts luisants dans sa bouche. Je l'observe, hypnotisée.

—Je ne connais rien d'aussi délicieux… Dis-moi que tu veux y goûter, toi aussi. Je veux te voir lécher mes doigts.

Une chaleur intense irradie entre mes cuisses.

—Je veux y goûter…, haleté-je, obéissante.

Cash se penche et, d'un geste avide, baisse mon pantalon et ma culotte jusqu'à mes chevilles. Lorsqu'il se redresse, il prend une seconde pour embrasser la peau de mes cuisses. Je meurs d'envie de lui souffler de s'attarder là, mais j'ai à peine le temps d'y penser qu'il enfonce de nouveau ses doigts humides en moi. Je retiens mon souffle : Cash s'aventure si profondément en moi que je me hisse sur la pointe des pieds. Il agite ses doigts en moi et masse mon clitoris avec son pouce… Lorsqu'il relève la tête, il me regarde droit dans les yeux.

Lentement, il se redresse et place un doigt devant ma bouche. Ses yeux se posent sur ma bouche, tandis que j'entrouvre les lèvres. Il passe un doigt luisant sur ma lèvre inférieure, puis me regarde.

—Lèche-la.

Je me lèche la lèvre, goûte la saveur salée de mon intimité.

—Tu es si excitante…, murmure-t-il avant de glisser son doigt dans ma bouche, tout contre ma langue.

Mes lèvres se referment sur le doigt de Cash, et je me mets à le sucer… Les dents serrées, il expire bruyamment.

—Dis-moi que tu me veux en toi.

—Je te veux… en moi. Tout de suite, le supplié-je, le souffle court.

Impossible de le quitter du regard. Même lorsque j'entends sa fermeture Éclair s'ouvrir, je ne peux détacher mon regard de lui.

Cash place ses mains sous mes bras, me soulève, et me dépose sur le plan de travail. Je sens le granit froid sous mes fesses, et attends avec impatience la chaleur du corps de Cash.

Les yeux toujours braqués sur moi –il semble ne jamais se lasser de me regarder–, Cash retire l'une de mes bottes, puis dénude une de mes jambes.

—Écarte les cuisses.

J'obéis.

Rien que de voir ses yeux rivés sur mon sexe moite et avide, mon désir décuple, embrase mon ventre. Cash pose une main sur sa queue, la caresse lentement… et je sens les muscles de mes cuisses se tendre. Je ne peux plus attendre : je le veux en moi.

—Maintenant, dis-moi ce dont tu as envie. Ce que tu veux que je fasse en toi.

—Que tu jouisses. Je veux que tu jouisses en moi. Avec moi.

Aussitôt, il abandonne toute retenue et pousse un gémissement avide. Soudain, son corps touche le mien, et je sens Cash prendre possession de mon corps entier : ses mains se perdent dans mes cheveux, sur mes seins, dans mon dos. Ses lèvres baisent les miennes, mes oreilles et mon cou. Sa langue excite la mienne, provoque mes seins et mon ventre.

Bientôt, je sens ses mains descendre sur mes hanches, et il me soulève ; mes fesses quittent le comptoir de marbre, et, à demi consciente, je vois la cuisine chavirer autour de moi. Lorsque j'enroule mes jambes autour de sa taille, je le sens entrer en moi.

Cash me laisse descendre peu à peu sur son sexe… Il me pénètre si profondément que je dois retenir un temps mon souffle. Je bascule ma tête en arrière et laisse échapper un râle de plaisir. Impossible de me retenir : je ne songe plus à rien d'autre que Cash. Ma voix n'est plus que l'écho lointain de la tornade de sensations et de respirations haletantes qui tempête entre nous, chaos de lèvres, de langues, de dents et de doigts insatiables.

Cash respire dans mon oreille. Je sens son corps s'agiter en moi, puis l'air caresser ma peau luisante de sueur, tandis qu'il me transporte jusqu'au lit. Bientôt, je me retrouve allongée sur le matelas ferme de Cash, et son corps brûlant recouvre le mien. Il me prend, plus fort, plus profond à chaque nouvel assaut. Jamais je ne l'ai senti aussi dur.

Le plaisir est trop fort, trop intense et, bien vite, j'ai l'impression que mon corps est sur le point de voler en éclats. Juste avant de fermer les yeux, je vois Cash se mettre à genoux sur le lit. Je m'abandonne tout entière à l'extase, tandis qu'il écarte mes jambes et masse mon clitoris sans jamais cesser son va-et-vient torride.

Toutes mes forces m'abandonnent : les premières vagues de mon orgasme m'enivrent, et j'entends Cash répéter mon nom, encore et encore. Je rouvre les yeux pour le voir se cambrer, alors qu'il me prend avec force, de plus en plus sauvage, de plus en plus puissant. De plus en plus dur. Et soudain, ma vision se brouille, et mes sensations se changent en un tourbillon de volupté.

Les râles de plaisir de Cash se répercutent sur les murs tandis qu'il ralentit le rythme, se fait moins vigoureux. Les derniers spasmes de plaisir font palpiter son sexe en moi, puis, après une dernière saillie, Cash s'effondre sur mon corps.

Nous restons ainsi immobiles, laissant tout son temps à la réalité pour reprendre ses droits. Sa respiration puissante souffle contre mon oreille et, lorsqu'elle se fait plus douce et régulière, je sens ses lèvres déposer un baiser sur la peau délicate de mon cou : ce n'est que le premier des innombrables baisers aimants qu'il sème ensuite sur mon cou et mon visage. Lorsqu'il relève la tête, nos regards se croisent. Ce que je lis dans ses yeux échappe à la raison, seul mon cœur peut le comprendre.

14

Cash

Olivia est allongée contre moi, et je n'ai pas la moindre envie de bouger. Mais je vais devoir me lever. Le danger nous guette à l'extérieur de cette pièce ; à la lumière du jour. À quelques heures de nous.

Comme elle le fait souvent lorsqu'elle repose nue à mes côtés, Olivia parcourt du bout des doigts les contours de mon tatouage. J'ignore si cela l'apaise, mais moi oui.

Ses doigts ralentissent de plus en plus, puis s'immobilisent. Sa respiration se fait plus lente, plus régulière. Elle dort. Elle doit être épuisée ; hélas, il n'y a rien que je puisse faire pour préserver son sommeil.

J'ai beau me glisser le plus délicatement possible hors du lit, elle se réveille.

— Repose-toi, ma puce. Je reviendrai vite.

Ses yeux sont braqués sur moi. Je sais qu'elle m'a entendu, mais elle ne répond pas… et se contente de sourire.

Je me rhabille, sors de mon appart, de mon bureau, puis entre dans le bar. Nash et Gavin sont assis au comptoir, trois verres et une bouteille de whisky devant eux.

— Faites comme chez vous, lâché-je avec ironie.

— T'inquiète pas pour nous, rétorque Gavin, un sourire malicieux sur le visage.

123

Je tire un tabouret, un verre, et engloutis la liqueur cul sec. La brûlure de l'alcool tombe à pic : elle me rappelle que si je me plante, la douleur sera bien moins plaisante. Qui plus est, je n'aurai pas de seconde chance.

—J'ai réfléchi, et je pense que le seul endroit où Olivia sera vraiment en sécurité, c'est auprès de sa mère.

—Ah, c'est ça que tu faisais, là-bas dedans ? Tu pensais à la mère de ta copine ? me demande Nash, narquois. Si elle a besoin d'un vrai mec, n'hésite pas à lui filer ma carte.

—Je suis sûr qu'avec tous ces mois passés sur un bateau avec des mâles, tu sauras lui en présenter un à son goût.

Gavin en recrache du whisky sur le comptoir. Nash, lui, se redresse si vite que son tabouret bascule en arrière et tombe sur le sol.

—Tu sous-entends quoi, là, enfoiré ?

Je me lève à mon tour.

—Je ne sous-entends rien. Je te préviens très clairement que je ne te donne même pas le droit de penser à elle, et encore moins de la regarder. Sans ça, toi et moi, on va avoir un très, très gros problème… frérot.

Avant que Nash et moi en venions à nous empoigner, Gavin s'interpose. Une fois de plus.

—Je commence à me demander si je vais pouvoir vous laisser tout seuls !

Il nous gratifie chacun d'une petite tape sur l'épaule, geste qui, venant de Gavin, suffit presque à nous faire reculer d'un pas. Presque.

Gavin nous verse trois nouveaux verres, en fait glisser un vers moi et un autre vers Nash, s'empare du troisième et le lève entre nous.

—À notre réussite et notre intégrité physique ! *Salut !*

Nous défiant l'un l'autre du regard, nous trinquons avec Gavin. Au moins, l'instant est d'une solennité sincère, je dois le reconnaître.

Après un court silence, je me racle la gorge.

— Donc, j'ai réfléchi, et je pense que le seul endroit où Olivia sera en sécurité, c'est auprès de sa mère. Comme ses parents ont divorcé, elle ne l'a jamais trop côtoyée. Elles se parlent rarement. Je doute qu'on ait l'idée d'aller la dénicher là-bas. D'ailleurs, je ne suis même pas certain de savoir moi-même où elle habite. Je crois avoir entendu Olivia mentionner Savannah, mais je n'en suis même pas sûr. Je vais me renseigner.

— Et tu crois vraiment qu'ils ne vont pas vous suivre jusque là-bas et que tu vas pouvoir revenir à temps ? me demande Nash d'un ton sec.

Je serre les dents et tâche de ne pas relever l'affront.

— Ce n'est pas moi, mais Gavin qui l'accompagnera. Demain, toi et moi, on se charge de l'échange.

Nash m'adresse un sourire sarcastique.

— Tu as peur de la laisser avec moi, pas vrai ?

— Oui. Exactement. Elle a besoin de quelqu'un pour la protéger ; quelqu'un de compétent. Et je sais que Gavin est un type fiable.

Nash lève les yeux au ciel sans dire un mot. Au moins, parfois, il a la sagesse de la boucler.

Je me tourne vers Gavin.

— Je te fais confiance, mec.

Gavin me regarde droit dans les yeux, et j'essaie de lui transmettre en silence tout ce qu'implique le service que je lui demande : ne pas toucher à Olivia, faire tout ce qui est son pouvoir pour la protéger, et ne rien révéler de mes confidences. La tâche est ardue, et il le sait. Le fait qu'il marque un temps d'arrêt, comme s'il appréhendait pleinement la difficulté de sa mission me rassure : il me prouve à sa manière qu'il ne prend pas ma requête à la légère.

— Je sais, mon pote. Tu peux compter sur moi. Et elle aussi, d'ailleurs. Mon frère…

Gavin me tend la main. Lorsque je la prends, nous concluons un accord tacite : celui d'être là l'un pour l'autre quel qu'en soit le prix. Ce n'est pas un jeu, et nous le savons tous les deux.

— Mon frère, répété-je.

— J'espère qu'il sera pour toi un meilleur frangin qu'il ne l'a été pour moi, marmonne Nash dans le dos de Gavin, tout en se servant un autre verre.

Je ne relève pas sa remarque.

— Bon, je vais essayer de savoir où tu es censé l'embarquer. Donne-moi quelques minutes, le temps qu'elle me lâche l'adresse, et rejoins-moi à l'hôtel. OK ?

Gavin acquiesce.

— Nickel, dit-il. Le plan me semble tenir la route. Ça me paraît fiable. Fais gaffe à ne pas être suivi.

Je le dévisage, et il lève les mains devant lui.

— Désolé, vieux : l'habitude. Je sais bien que tu n'es pas du genre à être négligent.

— D'autant moins quand c'est important, commenté-je.

— Et cette fille a l'air particulièrement importante.

Je ne réplique pas. Je ne sais pas quoi dire. Il a raison, c'est indéniable, mais je n'y avais jamais réfléchi en ces termes… À quel point est-elle importante pour moi ? Je l'ignore… mais, plus que j'aurais cru cela possible un jour. C'est une certitude.

— Si tu t'en tiens au plan et que tu te contentes de faire ce que je te dis, on a une chance de s'en sortir, lancé-je à Nash.

Il fait mine de n'avoir rien entendu.

— Je peux te faire confiance ? insisté-je.

Lentement, Nash se retourne et me lance un regard glacial.

— Oui. Mais dès que vous serez en sécurité, ta copine et toi, ce sera mon tour… Mon tour d'avoir ce que je veux.

La soif de vengeance se lit dans ses yeux : j'ai tenté de la réprimer de trop longues années pour ne pas la reconnaître aussitôt. D'autant que je n'y suis jamais parvenu… J'ai simplement trouvé des moyens moins violents de régler mes comptes avec le passé. D'essayer, en tout cas. Remettre ses livres à la mafia va me renvoyer des années en arrière – lorsque je réfléchissais nuit et jour à un moyen légal de sauver mon père –, mais, si cela permet de mettre Olivia à l'abri, ça en vaut la peine. Je trouverai un autre plan ; je reprendrai mes recherches… Je convaincrai peut-être Nash d'utiliser sa vidéo pour y parvenir, mais ce n'est pas le moment d'y penser. Pour l'heure, ma priorité est de mettre Olivia à l'abri.

L'aube se lèvera bien assez tôt.

— C'est bon pour moi. Mais j'insiste : pour l'heure, on la joue à ma façon.

Il me dévisage longuement avant d'acquiescer.

15

OLIVIA

Il faudrait que je me repose alors qu'il est là, à côté, à imaginer je ne sais quel plan avec son frère jumeau revenu d'entre les morts et son adjoint qui a l'air de bien plus qu'un gérant de boîte de nuit? Impossible!

Lorsque Cash revient me voir dans la chambre, je suis levée et habillée. Je l'attendais.

Comme chaque fois, sa seule vue me trouble, et je me rends compte à quel point il compte pour moi.

Je prends une inspiration profonde et essaie de laisser ma raison prendre les rênes.

— Alors? Quel est le plan?

Cash jette un regard par-dessus son épaule en direction de son bureau.

— Assieds-toi. On arrive dans une minute.

J'entends un petit rire enjoué qui, je n'en doute pas une seconde, vient de sortir de la bouche de Gavin. Je n'imagine pas un instant Nash rire de façon si joviale. Je peine, d'ailleurs, à l'imaginer sourire. M'est avis qu'il doit être rarement autre chose que menaçant.

Cash referme la porte et se tourne vers moi. Je comprends à l'expression de son visage qu'il pense que je ne vais pas apprécier ce qu'il a à me dire. Et cela ne me rassure pas.

Je soupire.

—Je ne le sens pas…

Cash ricane.

—Quoi? Je n'ai pas encore dit le moindre mot. Pourquoi tu dis ça?

—Tu n'as pas besoin de dire quoi que ce soit quand tu me regardes comme ça : j'ai l'impression d'avoir des fourmis dans… le bas du dos.

—Dans le bas du dos? Des fourmis?

J'acquiesce et Cash éclate de rire. Il secoue la tête, un air amusé sur le visage, puis m'attire dans ses bras.

—T'es dingue, tu le sais ça? dit-il en me serrant contre son torse.

—C'est un scoop pour toi?

—Non, loin de là.

Je tourne légèrement la tête et, sans pouvoir m'en empêcher, mordille l'un de ses tétons à travers sa chemise.

—Eh! Si tu refais ça, tu auras droit à la plus grosse fessée de ta vie…

—On ne m'a jamais mis de fessée, alors tu n'auras pas besoin d'y aller trop fort.

—Jamais? Dans ce cas, dès que je t'aurai ramenée à la maison, on s'y colle.

Je me penche en arrière.

—Comment ça, à la maison? Où est-ce que tu m'emmènes?

Cash soupire.

—Chez ta mère. Nulle part ailleurs, tu ne pourras être plus en sécurité.

Je quitte soudain ses bras.

—Quoi? Tu plaisantes, j'espère! Je dois bien avoir une dizaine d'autres idées de lieux où je pourrais être à l'abri sans devoir y laisser ma santé mentale! Chez ma mère? Tu délires ou quoi?

— La mafia doit avoir traqué tes derniers déplacements. Les Russes ont probablement listé toutes tes connaissances et leurs adresses… à l'exception de celle de ta mère. Tu ne lui as pas parlé depuis des lustres, non ?

— Depuis plusieurs années, mais là n'est pas le problème !

— Ce n'est pas le problème, non, c'est la solution. C'est le dernier endroit où la mafia pensera à venir te chercher.

Un vide absolu envahit soudain mon esprit : je n'ai pas le moindre contre-argument en stock. Probablement parce qu'il a raison.

Et merde !

— OK, mais je m'y rends toute seule, dans ce cas : elle risque de ne rien comprendre à ce qui se passe, sinon.

Cash fait « non » de la tête.

— Non, désolé. Gavin va t'accompagner, et il restera avec toi jusqu'à ce que tu puisses revenir ici.

— Quoi ? Hors de question ! Si je dois y aller avec quelqu'un, pourquoi est-ce que ce n'est pas avec toi ?

Plus j'y pense, d'ailleurs, plus j'aime cette idée : de cette façon, Cash sera à l'abri, lui aussi.

— Gavin est le plus… compétent de nous trois. Avec lui, tu seras en sûreté quoi qu'il puisse advenir.

— Eh, ce n'est pas comme si une légion de mafieux allait prendre d'assaut la maison de ma mère, non plus !

— La vérité, c'est que je n'en sais rien ; alors, autant parer à toute éventualité.

— Si Gavin est le plus compétent de vous trois, pourquoi est-ce que tu ne l'envoies pas procéder à l'échange avec Nash ?

— Il faut que j'y aille. Il faut que ce soit moi qui m'en charge. Je ne peux pas faire confiance à Nash. Je dois être sûr que l'échange aura lieu, et dans de bonnes conditions. Je ne peux pas me permettre de te mettre en danger, Olivia. Il faut qu'on en finisse avec cette histoire.

—Mais… mais…

Je n'arrive pas à penser à d'autre argument que celui de ressentir le besoin total de le garder près de moi pour le protéger. Malheureusement, jamais cela ne le fera changer d'avis.

—C'est la meilleure solution. La seule solution, pour tout dire… Fais-moi confiance, Olivia… Tu peux me faire confiance ?

Cash me regarde avec une intensité telle, la tête légèrement penchée sur le côté, que sa sincérité me saute au visage.

J'ai les larmes aux yeux. La gorge nouée, je n'essaie même pas de répondre et me contente d'acquiescer, sans quitter des yeux la bouche de Cash.

Dans un geste d'une tendresse infinie, il m'attire de nouveau contre lui. Doucement, il passe une main dans mes cheveux et me caresse le dos.

—Je te protégerai, c'est promis.

—Ce n'est pas pour moi que j'ai peur…, murmuré-je, une joue contre son torse.

16

CASH

Le voyage avec Olivia jusqu'à l'hôtel est une vraie torture : je l'ai dévorée il y a à peine une heure, et pourtant, sitôt qu'elle passe ses bras autour de ma taille, je sens cette tension – familière à son contact – se répandre dans mon entrejambe. J'ai beau avoir les yeux grands ouverts sur le réel, je revois clairement ses mains minuscules s'activer autour de ma queue, sa bouche qui tente de saisir ce qui est trop gros pour elle.

Ces images ne risquent pas de m'aider à garder la tête froide.

Ce qui fait de cette virée une torture, c'est aussi de savoir que je vais la laisser entre les mains de quelqu'un d'autre. L'idée me révulse. Quand je lui ai dit que Gavin était le plus compétent de nous trois, je ne lui mentais pas : techniquement, il était le mieux placé pour s'acquitter de cette mission. Mais qui prendrait plus de risques que moi pour mettre Olivia à l'abri ? Qui est autant que moi attaché à elle pour la préserver du danger ?

Pour autant, il n'y a pas d'autre solution : ma seule présence auprès d'elle la met en danger. L'équation est vite résolue : tant que je n'aurai pas réglé la situation, il n'y a rien de mieux pour elle que de garder ses distances.

Même si, pour moi, c'est un véritable enfer.

Jusqu'à notre arrivée dans le hall d'entrée de l'hôtel, dans l'ascenseur, puis dans notre chambre, Olivia reste silencieuse. Elle reste tout aussi discrète, tandis qu'elle range dans son sac les quelques rares affaires qu'elle en avait sorties en s'installant ici. Craignant qu'elle me quitte – que nous nous quittions, pour être exact – sur une note aussi glaciale, je ne peux m'empêcher de l'interpeller.

— Je peux garder ça? lui demandé-je, en retirant de son sac une culotte qu'elle venait de ranger. Je te promets qu'elle ne finira pas accrochée sur un mur du bar.

— Rends-moi ça, proteste-t-elle mollement, la main tendue vers moi.

Je l'empêche de s'en emparer.

— Non. Je pense que j'en ai mérité une.

— Oh, tu aimes porter des petites culottes? Là, je suis surprise…

— Malheureusement, elles sont souvent trop petites pour ce que j'ai à y ranger.

Elle sourit à ma plaisanterie.

— OK. Tu peux la garder. J'en ai encore pas mal en réserve.

Je jette un regard dans son sac.

— Oh, oui, ça devrait aller: quand je ne suis pas là, tu n'as pas besoin d'en changer si souvent que ça.

Je lui adresse un regard à limite de l'indécence, et elle se met à rougir.

— Pas faux… D'ailleurs, maintenant qu'on en parle, vu l'effet que tu produis sur mes culottes, ce ne serait que justice que tu m'en rachètes quelques-unes. J'en ai deux ou trois particulièrement esquintées…

— Hmm… J'en ai peut-être déchiré quelques-unes, c'est vrai… Tiens, je me souviens notamment d'une fois où c'est arrivé: tu gémissais si fort que je me suis demandé si on n'avait pas réveillé ton père.

La bouche lui en tombe, et ses joues virent à l'écarlate.

— Ce n'était pas toi, plutôt, qui gémissais comme un barbare ? J'ai souvenir que tu étais particulièrement excité !

— De fait, ma puce, j'étais très, très excité ce soir-là. Tu me fais un tas de trucs assez excitants… D'ailleurs, c'est pour ça que j'ai toujours autant envie de te rendre la pareille.

— On va dire que c'est ma faute, c'est ça…

— Eh ! Qu'est-ce que tu dirais de les oublier toutes chez ta mère, tes culottes ? Je te promets que quand tu reviendras, je te donnerai l'impression de ne jamais en manquer.

— Désolée, mais je préfère être avec que sans. Ginger, par contre…

— La vache ! m'exclamé-je en fermant les yeux et en tournant d'un coup la tête.

— Quoi ? Elle n'est pas canon, Ginger ?

— Pour certains types, peut-être…

— Quel genre de types ?

— Ceux qui aiment les femmes trop blondes, trop refaites et… trop félines.

Olivia éclate de rire.

— Je croyais que ça plaisait aux hommes.

— À certains hommes.

— Vu Taryn, ça doit te plaire pourtant, non ? Sachant que Ginger, elle, a une vraie personnalité en plus de tout ça.

— OK, dans ce cas, je reformule : c'était bien ma came avant, mais maintenant, ma came, c'est plutôt toi. Y a pas mieux à ma connaissance. Qui plus est, suffit d'y goûter une fois pour que toutes les autres aient un goût de chiotte.

— Navrée d'avoir rappelé à ta mémoire une saveur si charmante. Entre les chiottes et la culotte, te voilà servi…

— Ce serait possible de ne pas parler de chiottes et de petite culotte dans la même phrase ?

— Fallait pas aborder le sujet, Cash…

—C'est moi qui ai commencé? Désolé, j'avais oublié: j'ai entendu trop de choses traumatisantes depuis.

—C'était il y a quoi… quarante-cinq secondes?

—C'est te dire combien j'ai été traumatisé…

Elle rit de plus belle et, cette fois, la joie a ravivé dans ses yeux cette lueur à laquelle je tiens tant.

17

OLIVIA

LES PLAISANTERIES DE CASH ME FONT OUBLIER CE QUI NOUS attend… jusqu'à ce qu'on frappe à la porte.

— Qui est-ce?

— Gavin.

— On s'en va?

— Oui. Je me suis dit que ce serait moins dangereux. Si jamais quelqu'un m'a suivi jusqu'ici – ce qui est peu probable –, lorsqu'il verra Gavin, il ne lui viendra pas à l'idée de le suivre. Normalement, il s'est garé juste en face de la chambre, de telle sorte que je puisse m'assurer que personne ne vous piste après votre départ. Si jamais les Russes décident de venir me débusquer ici, vous serez déjà loin.

— Mais… ça veut dire qu'on va te laisser seul?

Je sens la crainte m'envahir, et je me mets à trembler.

— Pas longtemps : je retrouve Nash dès demain pour la suite des événements.

— C'est-à-dire? Tu peux m'en parler?

Il me regarde d'une façon étrange que je peine à interpréter. Ma raison et mon cœur sont trop troublés pour ça.

— Si c'est ce que tu veux vraiment, oui.

— Bien sûr que j'en ai envie! Je m'inquiète pour toi, Cash!

—Eh, je voulais juste t'épargner les détails si jamais tu t'en moquais.

Je sens la colère monter. Comment peut-il penser que je me moque de son sort ? Certes, il m'est arrivé de douter de lui ces derniers jours, mais je ne crois pas lui avoir déjà donné l'impression de n'avoir rien à foutre de lui !

Enfin, il me semble…

Ce moment d'incertitude agit sur moi comme un électrochoc : hors de question que Cash me quitte en pensant que je me moque de ce qui peut lui arriver. Je ne le supporterais pas.

—Cash : je ne pourrais pas moins m'en moquer, et je m'inquiète pour toi plus que pour moi-même. Je sais que j'ai encore des trucs à régler, des problèmes de confiance pour ne pas les citer, mais, ça, ça a plus à voir avec moi qu'avec toi. Tu… tu…

La gorge nouée, je peine à continuer. Je marque quelques secondes d'arrêt pour me ressaisir.

—Je tiens beaucoup à toi…, reprends-je. Et je sais que tu es un type bien. Au fond de moi, j'en suis convaincue. Vraiment. C'est juste que j'ai parfois du mal à exprimer ce que je ressens : ça ne veut pas dire que je m'en fous…

Il me sourit et s'avance vers moi pour m'embrasser délicatement.

—OK, OK… Je te crois. Et je comprends… Je ressens la même chose, ajoute-t-il, soudain plus sérieux. Ce n'est pas toujours facile pour moi d'exprimer ce que je ressens… Mais j'aimerais que tu saches que j…

—Eh, ça va là-dedans ? lance Gavin de l'autre côté de la porte en frappant de nouveau, interrompant Cash.

—Une seconde ! lance Cash, visiblement irrité.

Lorsqu'il se retourne vers moi, il soupire… et ne reprend pas sa phrase. L'instant, fugace, s'est envolé.

Mon cœur tressaille. Je donnerais tout ce que j'ai pour savoir comment cette phrase était censée s'achever.

—On reparlera de tout ça quand tu seras de retour. Je te raconterai que notre plan s'est déroulé sans accroc, que j'ai botté le cul de mon frangin, et tu me décriras la façon dont ta mère s'est effondrée sur le perron quand tu lui as raconté je ne sais quel bobard à propos de Gavin.

Il sourit.

—Merde!

—Quoi?

—Quel bobard je vais lui servir, justement?

Cash hausse les épaules.

—Mieux vaut réfléchir à un truc solide, parce que Gavin ne va pas te lâcher d'une semelle…

—Je pourrais toujours lui faire croire qu'on est ensemble…, dis-je en me mordant la lèvre, perdue dans une réflexion intense.

Cash serre les dents. Je fronce les sourcils.

—Quoi? lui demandé-je.

—Rien.

—Non, pas rien. Qu'est-ce qui t'arrive?

—Tu as de l'imagination. Je suis sûr que tu pourras trouver autre chose.

—Pourquoi je devrais trouver autre chose?

—Si vous êtes censés être ensemble, ta mère va s'attendre à des démonstrations d'affection…

—Et?

—Et, s'il y en a, je vais devoir botter le cul de Gavin… puis le tien.

Je n'ai aucun mal à percevoir l'humour de ses derniers mots. Je souris.

—Me botter le cul? Je croyais que tu voulais le fesser…

Je ne suis pas d'un naturel si provocant, mais vu les circonstances, je préfère ne pas prendre de gants.

—Quoi que je lui fasse, en tout cas, je te promets qu'après, je l'embrasserai et m'en occuperai comme il se doit. Qu'est-ce que tu en dis?

Ses doigts caressent mes bras de bas en haut avec délicatesse. Ce geste a beau être innocent, je meurs d'envie que Cash pose ses mains ailleurs sur ma peau nue.

—Pour faire des promesses, il y a du monde, mais…

—Quand tu seras de retour, tu verras que je suis un homme de parole. D'ailleurs, si jamais tu portes une culotte ce jour-là, choisis-en une que tu n'aimes pas, parce que c'est la dernière fois que tu la verras en bon état. Tu ne pourras pas dire que je ne t'ai pas prévenue.

J'en tremble aussitôt d'impatience… Chaque fois que Cash perd le contrôle, nous finissons en sueur, allongés quelque part, exténués. Je ne vois d'ailleurs aucune bonne raison de m'y opposer.

—Bien noté.

Gavin frappe une fois de plus à la porte. Cash m'adresse un clin d'œil, avant de se retourner et de traverser la pièce jusqu'à la porte.

—T'es pas lourd du tout, toi…, lance-t-il à son adjoint.

Gavin lui décoche un sourire plein de malice.

—Raaah, j'espérais me rincer l'œil, mais tu l'as laissée se rhabiller !

Cash lui écrase l'épaule d'un geste moins amical qu'à l'accoutumée. Tout sourires, Gavin se tourne vers moi.

—Prête ?

Je passe mon sac à mon épaule.

—Si on veut.

Je viens me placer devant Cash.

—Gavin t'expliquera tout en détail. Je l'aurais fait, mais il a fallu qu'on nous interrompe…, dit-il à l'adresse de son ami en le fusillant du regard.

—Fais attention à toi. Ne prends pas de risques inutiles. Promis ?

—Promis.

Alors que je m'attendais à un baiser discret, Cash m'attire contre lui et m'embrasse tendrement, longuement, si bien que, lorsqu'il me libère, j'en ai le souffle court.

—N'oublie pas…, ajoute-t-il.

—OK…

J'ignore ce à quoi il fait référence, mais j'acquiesce : ne pas oublier ce qu'il m'a dit ? Sa promesse ? Ne pas l'oublier lui ? Peu importe. Pour l'heure, tout ce dont j'ai conscience, c'est de ce mauvais pressentiment qui me glisse à l'oreille que notre histoire touche à sa fin. Et lorsque Gavin me guide vers la porte, j'ai les larmes aux yeux…

Tandis qu'il me devance dans l'escalier – les innombrables marches qui nous séparent de la sortie –, puis au-dehors, par une porte de secours, Gavin reste silencieux. L'air nocturne est plus froid que les nuits précédentes, et, quand il fouette mes joues humides, j'ai l'impression désagréable de recevoir une gifle. Je ne m'étais même pas rendu compte que je pleurais.

Peut-être est-ce la raison pour laquelle Gavin s'est fait si discret. Il est convaincu que je suis à deux doigts de m'effondrer.

Et il n'est pas impossible que cela arrive. Parfois, j'en suis à deux doigts.

Nous remontons la rue dans laquelle nous avons atterri, et Gavin tend une main pour s'emparer du sac qui pend à mon épaule. Je le remercie d'un sourire discret, mais sincère, et le laisse le prendre.

—Il va s'en sortir, tu sais, me rassure Gavin d'une voix calme.

Étrangement, son accent semble plus marqué dans l'obscurité.

—Tu n'en sais rien.

—Si. Je le sais. C'est un dur, et il a un plan qui tient la route. En plus, il n'hésiterait pas à faire un aller et retour en enfer pour que tu sois en sécurité. Quand un truc l'obsède, il se transforme en pitbull. Rien ne peut l'arrêter.

Ses mots ont une saveur douce-amère. Certes, mon cœur s'échauffe lorsqu'il me rappelle à quel point je compte pour Cash. Ce dernier a dû dire ou faire quelque chose de déterminant pour que Gavin en soit convaincu. Sauf si l'homme qui m'accompagne est un trou du cul de première qui n'hésite pas à mentir pour me rassurer. Toujours est-il que je ne peux m'empêcher d'être triste à l'idée de ne jamais pouvoir avouer à Cash que je suis tombée amoureuse de lui.

Pourquoi je ne le lui ai pas dit il y a cinq minutes quand j'en avais l'occasion, bordel ? Ah oui, je sais ! C'est juste parce que je suis la dernière des cruches ! Et orgueilleuse avec ça !

Au seul souvenir de cette occasion manquée, mon cœur se serre. Je ralentis et m'arrête, prise d'une envie soudaine de retourner là-haut au pas de course pour me jeter dans les bras de Cash.

— Il faut que je retourne le voir, Gavin. J'ai quelque chose à lui dire avant qu'on parte.

Je sens l'urgence de la situation couler dans mes veines comme un shoot d'héroïne.

Quelle conne ! Pourquoi j'ai fait ça ?

Prise de panique, j'ai le sang en ébullition et des sueurs froides.

— Trop tard, me fait remarquer Gavin, navré, d'une voix grave.

Je me tourne vers son visage compatissant, puis, au moment où j'ouvre la bouche pour parler, une moto rugit et disparaît dans la nuit.

— Il est déjà parti, poursuit Gavin.

Mes larmes menacent de ruisseler de plus belle.

— Mais… il faut absolument que je lui parle. Il y a quelque chose qu'il doit savoir avant de partir…

Gavin pose une main sur mon épaule et se penche légèrement pour me regarder droit dans les yeux.

— Il le sait.

— Non, il ne le sait pas. Comment pourrait-il le savoir ? Je me suis comportée comme une ado névrosée ces derniers jours…

Gavin sourit.

— Est-ce que toutes les femmes ne sont pas névrosées ? Fais-moi confiance : il le sait. Jamais il ne se serait mis dans un merdier pareil pour une fille qui ne l'aime pas.

Si Gavin a compris, peut-être que Cash aussi… Peut-être qu'avant l'interruption de Gavin, Cash était sur le point de me dire qu'il m'aimait ? Si seulement on avait eu quelques minutes de plus…

L'espace d'une seconde, j'ai envie d'envoyer mon poing dans la mâchoire parfaite de Gavin.

— Va chier, Gavin ! pesté-je en frappant du pied sur le bitume. C'est ta faute ! Si tu ne t'étais pas pointé pour frapper à la porte, nous…

Gavin se met à rire. À rire !

Je rêve !

— Je suis vraiment désolé que le mal que je me donne pour te sauver la vie n'arrive pas toujours au moment opportun.

Je crispe les lèvres, bouillonnante : son ton léger n'aide en rien à apaiser ma colère.

— Ne change pas de sujet : ça me rend encore plus dingue ! lâché-je entre les dents.

Sans se départir de son sourire, Gavin se remet à marcher.

— OK. Libre à toi de penser que c'est à cause de moi, et pas de ton manque de courage, que tu n'as pas pu lui dire ce que tu ressentais… Mais on sait tous les deux ce qu'il en est.

Comment est-ce qu'on peut être aussi insolent ? Aussi indélicat ?

Et avoir à ce point raison ?

C'est ma faute et celle de personne d'autre.

Je reste plantée là, le dos raide, irascible, à regarder Gavin s'éloigner. Pourtant, plus il s'éloigne, plus ma colère s'apaise… et je finis par me hâter le long du trottoir pour le rattraper.

— Ralentis, l'Australien !

Gavin se retourne, lève légèrement la tête et murmure au ciel nocturne, moqueur :

— Accélère, Névro-bombe !

Je ne peux m'empêcher de sourire.

143

Gavin roule en Hummer H3T noir avec vitres teintées, celui avec un petit lit à l'arrière.

—La vache : tu l'as volé à un dealer de coke ?

—Tout doux. Tu pourrais lui devoir la vie bien assez tôt : y a pas mieux équipé sur le marché.

—Tu l'as volé à un dealer de coke…

Gavin lève les yeux au ciel et secoue la tête.

—Les femmes…, murmure-t-il.

—J'espère que tu ne sors pas ce genre de conneries à ta copine.

—Ma copine ?

Au regard qu'il me jette, j'ai l'impression que je viens de l'accuser de zoophilie.

—Une copine, reprend-il, ça implique un investissement émotionnel qui gâche les séances de baise, si tu veux mon avis. Très peu pour moi.

Je ne peux m'empêcher de rapporter sa remarque à ma situation.

—Cash est du même avis que toi ?

Gavin braque ses yeux dans les miens. J'y lis une certaine prudence.

—Va savoir…

—Tu me le cacherais sans doute si c'était le cas, n'est-ce pas ?

—Écoute, Olivia : j'avoue que Cash et moi avons pas mal de points communs. Depuis que je le connais, jamais il ne s'est investi dans une relation amoureuse. Jusqu'à aujourd'hui.

—Qu'est-ce que tu veux dire ? Qu'avec moi, il veut aller plus loin ?

J'ignore pourquoi, mais j'ai un mal fou à m'en convaincre.

—Non, je n'ai pas dit ça.

—C'est bien ce que je craignais…

—Cela dit, je ne suis pas très sûr de ce que j'essayais de dire…, ajoute-t-il, avant de marquer une courte pause qu'il ponctue d'un soupir agacé. Laisse-moi tourner ça autrement : disons que je ne l'ai jamais vu s'investir autant pour une fille auparavant. Est-ce que ça veut dire qu'il veut aller plus loin ? Je n'en sais rien. Je pense que oui, mais ce n'est que mon opinion. Entre mecs, on ne se pose pas autour d'une binouze pour déballer nos sentiments, tu sais ?

— Je pense bien…

Je suis déçue. J'espérais tellement qu'il essaierait de me convaincre ou qu'il aurait une preuve irréfutable de l'attachement de Cash pour moi. Mais non, rien. Cash est autant un mystère pour Gavin que pour qui que ce soit d'autre.

Mieux vaut changer de sujet avant qu'un accès de déprime me fasse sombrer sans espoir de retour. Avant que j'aie trouvé quoi dégainer, Gavin intervient.

— Ta mère vit où, alors ?

— Pas très loin de Carrollton, en fait. C'est là que je fais mes études, à une heure d'ici.

— Cap plein ouest, dans ce cas !

Un peu plus tard, tandis que Gavin conduit son énorme véhicule sur l'autoroute, un nouveau sujet de discussion me vient en tête.

— Au fait, en plus de révélations intimes, en tambourinant sur la porte, tu as aussi interrompu l'explication du plan d'attaque de Cash pour demain. Tu veux bien me mettre au jus ?

Gavin me décoche un regard perplexe.

— Hmm…

— À qui est-ce que tu veux que j'en parle ? À ma mère ? Comme si elle en avait quelque chose à faire… Que ça compte ou pas à mes yeux : elle s'en cogne. Cela dit, ce n'est pas tellement que ça compte à mes yeux, c'est juste que ça m'intrigue.

Après un long silence, Gavin lâche le morceau.

— Cash va faire quelques copies de la vidéo et les confier à différentes personnes. Il va faire pareil avec les registres qu'il doit refourguer aux Russes. Une fois que les mafieux lui auront apporté la preuve que la fille est saine et sauve, il va leur montrer la vidéo. Ensuite, il leur expliquera que s'ils ne la libèrent pas et ne s'engagent pas à vous foutre la paix à toi, à elle et à son père à lui, il balancera la vidéo et les registres aux autorités.

—Quoi ? Mais, ce n'est pas trop dangereux ?

Gavin hausse les épaules.

—C'est lui qui a l'avantage.

—Mais, ils ont Marissa !

—OK, ils ont un as, mais ça ne fait pas tout. S'ils ne la libèrent pas, il leur filera les registres. C'est Nash qui les aura. En résumé, Cash n'appellera son frangin que si la situation s'envenime.

—Si je comprends bien, dans le meilleur des cas, il pense pouvoir s'en sortir avec les carnets, la vidéo et Marissa ?

—Ouais.

—Et dans le pire des cas ?

—Il devra leur donner les registres en signe de bonne foi pour récupérer la fille. Mais il lui restera les copies de la vidéo et des livres de comptes… plus l'atout que Greg a laissé entre les mains de Nash.

—Greg ? C'est le père de Cash ?

—Oui. C'est un type bien.

Je ne relève pas. Je n'ai pas encore déterminé si le père de Cash est ou non un type honorable. À cet instant précis, j'aurais tendance à dire que non. Après tout, c'est à cause de lui que nous sommes tous dans cette galère. Je ne doute pas qu'il a des qualités susceptibles de le faire remonter dans mon estime, mais, pour l'heure, je n'ai rien à me mettre sous la dent.

—Tu le connais depuis longtemps ?

—Oui, ça fait un bail.

—Ah oui ? J'ai du mal à croire que tu puisses être si vieux que ça.

—Je suis trop beau gosse : la vieillesse ne veut pas de moi, plaisante-t-il, un grand sourire aux lèvres.

Je lève les yeux au ciel et éclate de rire.

—Non, j'ai juste commencé très jeune, m'explique-t-il.

—Commencé? Commencé quoi?

Il hausse les épaules, mais j'ai le sentiment que, cette fois, c'est moins par nonchalance que parce qu'il ne veut pas en parler.

—Pendant quelques années, on m'a engagé pour accomplir toutes sortes de jobs divers et variés. Le truc, c'est que je suis pilote… Hélicos, avions… Bref : c'est comme ça que j'ai rencontré Greg. Puis Cash.

J'acquiesce lentement.

—Des jobs divers et variés du même genre que ceux des Russes et de Greg?

—Oui et non. Mon boulot était dangereux et peu recommandable pour d'autres raisons. J'ai eu trop de mal à assumer pour continuer.

Je crois que, ce qui m'effraie le plus dans le récit de Gavin, c'est le manque de précision de ses explications concernant ses activités, passées et présentes. Qui plus est, vu comme Cash parle de lui, je ne sais vraiment pas à quoi m'attendre : Gavin est-il un criminel de haut vol? Ce n'est pas parce qu'il n'est pas en prison qu'il n'a aucune raison d'y croupir. Peut-être qu'il ne s'est simplement jamais fait prendre.

Soudain, je me sens beaucoup moins curieuse de… tout; absolument tout à propos de cette histoire et de ces gens! Où que je regarde, j'ai l'impression de ne voir que tristesse et mensonge. Aussi, pour la première fois de ma vie, j'ai le sentiment que la chambre d'amis de ma mère sera pour moi un véritable havre de paix.

18

CASH

Laisser Olivia partir avec Gavin s'est avéré bien plus difficile que je m'y attendais. Tandis que je me dirige en direction du club, je ne peux m'empêcher de repenser à son visage que j'ai aperçu dans le rétroviseur de ma moto. Elle avait l'air totalement perdue. Terrifiée.

Je me force à me rappeler que Gavin est le type le plus fiable que je connaisse. En plus d'être stupide, en douter maintenant que notre plan est en marche serait totalement contre-productif. J'ai joué cette carte : je ne peux plus rien y faire. Il est trop tard pour changer les règles du jeu, d'autant moins celles qui sont censées assurer la survie d'Olivia. Mes tripes me dictaient de faire confiance à Gavin et je l'ai fait. Point final.

Lorsque, alors que je me gare dans le garage, je me rends compte que la porte de mon appartement est ouverte, je me souviens qu'évaluer les compétences de Gavin n'est pas une priorité pour moi : j'ai des problèmes plus urgents.

Nash.

Je descends de mon bolide et entre dans l'appart. Nash est en train de se raser dans la salle de bains. Il se rince, puis, relevant la tête, me regarde dans le miroir. Je suis soulagé de trouver son bouc intact : je n'ai aucune envie qu'il me ressemble plus que nécessaire. Qui plus est : je ne peux pas l'encadrer.

— Fais comme chez toi, dis-je, sarcastique.

— T'inquiète, je n'ai pas attendu ton invitation.

Je n'ai même pas envie de savoir si c'est une plaisanterie ou une provocation : cela risque de me rendre dingue, et, durant les douze prochaines heures, j'ai besoin de rester concentré sur l'échange. Pas sur mon frère.

— Si tu veux te reposer un peu ou poursuivre ta toilette avant le spectacle, je peux te filer les clés de mon appart en ville, et celle de ma caisse pour t'y rendre.

— Tu veux déjà te débarrasser de moi ?

— Exactement.

— C'est pas très sympa, ça, mon cher frère.

— Écoute, mon gars : va falloir laisser tes sarcasmes au vestiaire quelque temps. J'ai pas de temps à perdre avec tes conneries. Mets le plan à exécution comme prévu et arrête de me les briser.

— Oh… Je ne sais pas si tu t'en souviens, mais ton fameux plan requiert une certaine vidéo ; vidéo que j'ai planquée en lieu sûr. Alors, tout doux, coco. Sinon, concernant la caisse, je crois que je vais me laisser tenter : je n'en ai pas, vu que j'ai passé les sept dernières années en exil sur les mers.

Je lutte contre l'accès de colère qui me guette et serre les dents : de toute évidence, il va falloir qu'un de nous deux garde la tête froide et cesse de jouer les ados rebelles. Or, il y a peu de chances pour que Nash endosse le rôle du type mature.

J'entre dans la chambre et ouvre le tiroir supérieur de ma commode d'où je sors un trousseau de clés.

— Prends la moto. La clé dorée, c'est celle de l'appart.

Je lui donne l'adresse. Il hausse un sourcil et acquiesce, visiblement satisfait. Pas de sarcasme. Bien. Peut-être que je l'ai maté.

— Sympa, le quartier.

— Pour un avocat, sûrement. Je préfère crécher ici.

Il me dévisage, dubitatif.

—Je n'arrive pas à croire que tu y es arrivé.

—À ?

—À terminer le lycée, aller à la fac, décrocher ton diplôme et finir avocat.

Je fouille ses mots à la recherche d'un reproche sous-jacent, d'une moquerie, mais ne décèle rien de malveillant. Il a l'air sincèrement surpris.

—Je n'ai pas particulièrement apprécié l'aventure, pour tout dire. Tout ça, ça a toujours été ton truc plus que le mien. Mais, c'était la meilleure solution pour aider papa. C'était du moins ce que je pensais.

Je dois redoubler d'efforts pour ne pas laisser l'amertume transparaître dans mes paroles : j'ai toujours autant de mal à avaler qu'ils m'aient ainsi caché la vérité, mon frère et lui, après tous les sacrifices que j'ai faits et que je croyais nécessaires.

—De fait, aucun de nous deux n'a suivi le chemin qu'on lui prédestinait…

—De fait. J'espère juste que, d'une façon ou d'une autre, toute cette merde nous aura rendus meilleurs. Peut-être qu'il y a du bon là-dedans… Qui sait : j'avais peut-être besoin d'une petite part de toi.

Nash hausse les épaules.

—Et moi d'une petite part de toi… Mais pas d'autant que ce dont j'ai hérité.

Il m'adresse un sourire étrangement sincère, et considérant nos retrouvailles, j'ai moins de mal que je l'aurais pensé à le lui rendre.

Il y a peut-être encore un espoir entre nous…

Je vois les quelques affaires de Nash jetées sur le lit.

—Je vais chercher un truc dans la caisse. Ça te laissera le temps de réunir tes affaires.

C'est un mensonge. La vérité, c'est que je vais récupérer les registres dans mon coffre, et que je n'ai aucune envie qu'il sache où je planque ce qui a de l'importance. Je ne lui fais pas encore totalement confiance, alors je préfère jouer la carte de la prudence.

Il m'adresse un hochement de tête, et je retourne dans le garage, refermant la porte derrière moi.

Je file vers la plaque perforée, près de l'établi, sur le mur le plus éloigné de la voiture. Sur le second panneau se trouvent un petit levier et des gonds cachés. Le panneau pivote discrètement et révèle un coffre encastré dans le mur. J'entre la combinaison. « Clic ».

En dehors du registre, il n'y a rien d'autre dans le coffre qu'un gros dossier contenant la paperasse du club et une liasse de billets de cent. Je déteste l'idée de pouvoir me retrouver un jour à sec.

Je récupère le registre, referme la porte du coffre, puis replace le panneau perforé. La cache est de nouveau invisible. Je m'empare ensuite de ma veste sur le siège arrière de la BMW, puis retourne dans l'appartement. Lorsque j'entre, Nash est en train d'enfiler ses lunettes.

—Des lunettes ? La nuit ?

—J'ai passé trop d'années en mer. Les reflets du soleil sur l'eau m'ont esquinté la vue. Je ne supporte plus la lumière : en ville, les feux des bagnoles, c'est un vrai supplice. Sans compter que comme ça, j'ai vraiment un pur look.

Son sourire en coin me rappelle le gamin joyeux qu'il était des années auparavant.

—Te manque plus qu'un futal en cuir et un accent autrichien, et tu ficheras les jetons à tous les gosses du coin, à la *Terminator*.

—Avec ta moto en plus, je vais faire fureur pour Halloween.

Je souris, mais m'abstiens de tout commentaire. Apparemment, il compte rester dans le coin un moment, et je ne sais pas quoi en penser.

—Un cauchemar à la fois, mec, dis-je d'une voix calme. On en finit avec celui-ci d'abord, OK ? Tu penses pouvoir être de retour vers 20 heures ?

—Ouais.

—Ça te dérangerait de passer dans une papeterie acheter ce genre de trucs?

Je lui montre les livres de comptes. Il fronce les sourcils et tend la main pour en prendre un. Il le feuillette.

—Alors, c'est ça qui a provoqué toute cette merde?

—Non, ce sont les décisions de papa qui ont provoqué toute cette merde, rectifié-je d'un ton égal.

Nash lève les yeux vers moi. Son regard est sévère, inflexible… mais il ne dit rien et se contente de me rendre le carnet.

—Je t'apporterai ça.

—OK. On se voit plus tard.

Sans un mot, il tourne les talons et quitte l'appartement.

19

OLIVIA

LORSQUE NOUS NE SOMMES PLUS QU'À UNE VINGTAINE DE minutes de la maison de ma mère, je réfléchis à ce que je pourrais bien lui dire pour justifier mon arrivée inopinée en pleine nuit. En compagnie d'un type louche.

Je ne l'ai pas appelée depuis si longtemps que je compose trois mauvais numéros avant de retrouver le sien. Son numéro est enregistré dans le répertoire de mon téléphone, mais il se trouve que celui-ci – le vrai, pas l'un des modèles jetables bon marché dont je dois me débarrasser tous les deux jours – est dans l'appartement de Cash.

Dès que j'entends la voix endormie de mon beau-père au bout du fil, je soupire un grand coup : je ne voyais pas quelle autre combinaison essayer. Si ce numéro n'avait pas été le bon, j'aurais vraiment été dans la mouise.

— Lyle ? C'est Olivia. Je suis désolée de vous appeler si tard… Je peux parler à maman ?

J'entends son soupir exaspéré, puis quelques bruits étouffés, tandis qu'il bouche le combiné avec la paume de sa main. Quelques secondes plus tard, j'entends la voix de ma mère.

— Dis donc, jeune femme, tu sais quelle heure il est ?

Je me passerais de commentaire concernant le fait que ma mère s'inquiète de l'heure plutôt que du fait que je l'appelle en pleine nuit après des siècles d'absence.

—Maman, il y a une fuite de gaz dans mon appart. Je peux venir dormir chez toi ?

J'entends tout un tas de sons inintelligibles à l'autre bout du fil, avant que ma mère reprenne la parole. Dire qu'il n'y a pas dans sa voix le moindre enthousiasme serait un doux euphémisme...

—Pourquoi est-ce que tu ne vas pas chez ton père ? Tu n'as plus ta clé ?

—Papa s'est cassé la jambe, il a du mal à se déplacer : si je l'appelle en plein milieu de la nuit, il risque de se blesser en venant décrocher. Pareil, si je me présente à la porte.

Tout ce que je lui annonce est vrai, à l'exception, bien sûr, de la fuite de gaz.

—Oh, et je suis avec... un ami. J'espère que ça ne te dérange pas.

Je souris intérieurement à l'idée de ne même pas pouvoir mentir en lui disant que Gavin et moi sommes proches. Même ma langue semble fidèle à Cash de façon indéfectible... Ridicule, non ? De toute façon, connaissant ma mère, elle se fera un plaisir d'interpréter la présence de mon camarade comme il lui siéra : elle verra, entendra et percevra ce qu'elle veut, et le jugera à travers le prisme de ses préjugés. Elle a toujours fonctionné comme ça.

—Si tu crois que je vais vous laisser partager la même chambre, toi et ton soi-disant ami, tu rêves, Olivia...

Je parviens presque à imaginer ses lèvres pincées de sainte-nitouche.

—Je ne t'en demande pas tant, maman. Tout ce qu'on veut, c'est un endroit où dormir en sécurité cette nuit...

Gavin me tapote le bras et me lance un regard dubitatif.

—On ne vous embêtera que quelques jours.

—Quelques jours ?

OK, donc, maintenant, elle est furieuse : ma mère n'est pas le genre de femmes à aimer qu'on trouble son quotidien.

—On ne vous dérangera pas. Pas la peine d'annuler quoi que ce soit pour nous. Vous ne remarquerez même pas qu'on est là.

— J'en doute fort, grommela-t-elle. Bon… Et quand arriverez-vous ?

— D'ici un quart d'heure.

— Bon.

J'entends un « clic », puis plus rien. Je soupire, puis me tourne vers Gavin. Il me sourit.

— Elle a l'air adorable.

— Elle est tellement plus que ça…

Perspicace, le garçon.

Un peu moins de vingt minutes plus tard, Gavin a mon sac dans une main et me suit le long du sentier sinueux et éclairé qui mène à la porte de chez ma mère. Une fois sur le perron, je prends une inspiration profonde, puis adresse un regard lourd d'appréhension à Gavin, posté à ma gauche. Il étudie la maison, observe les murs en brique, les innombrables fenêtres et le heurtoir cuivré fixé à l'énorme porte en bois massif.

— Voilà qui promet d'être intéressant…

Je souris à mon tour.

— Tu n'imagines pas.

Je frappe.

Quelques secondes plus tard, la porte s'ouvre, et nous découvrons ma mère, enveloppée dans une robe de soie hors de prix. Tout chez elle transpire la désapprobation : de ses cheveux sable à la coiffure parfaite – oui, même en pleine nuit – à ses yeux bleus sévères, en passant par ses bras fins qu'elle a croisés sitôt la porte ouverte. Il y a un an ou deux, la dernière fois que je l'ai vue, elle avait à peu de choses près le même port et le même air sur le visage : à dire vrai, ma mère passe sa vie à ne pas être d'accord avec… à peu près tout. Chose plus marquante encore, elle a à peine l'air de vieillir… Nul doute qu'elle dépense des fortunes en produits de soin. Un jour, qui sait, j'aurai peut-être l'air plus âgée qu'elle ?

Ils font des crèmes de nuit au formol dans la région ? pensé-je en observant sa peau tirée.

—Bonsoir, maman. Désolée de t'avoir réveillée.

Elle recule d'un pas et nous laisse avancer dans l'entrée.

—Pas autant moi.

Je m'efforce de ne pas lever les yeux au ciel. Ma mère n'a jamais été très flexible : elle séquestre la moindre contrariété dans sa tête et la rumine jusqu'à ce qu'il n'en reste plus qu'une bouillie écarlate.

—Navrée, vraiment, m'excusé-je d'une voix douce. Ne reste pas debout pour nous… Je te présente Gavin. Je vais l'installer dans l'une des chambres d'amis, et je dormirai dans l'autre. Tu verras, tu ne te rendras pas compte qu'on est ici.

Elle soupire en secouant la tête, puis ferme la porte derrière nous.

—Tu connais les règles de la maison, m'avertit-elle en dévisageant Gavin.

—Oui. Mais, comme je te l'ai dit, Gavin est juste un ami, maman.

—C'est ce que tu as dit, oui. On peut dire tellement de choses…

Cette fois, je ne me retiens pas de lever les yeux au ciel.

—OK, on se voit demain matin, maman. Bonne nuit.

J'attrape Gavin par le bras et le guide vers sa chambre.

J'ai beau être épuisée, impossible de trouver le sommeil. Je n'arrive à penser à rien d'autre qu'à ces mots que je n'ai pu prononcer devant Cash ; à tout ce que je n'ai pas réussi à faire ou à apprécier parce que j'étais trop effrayée. Parce que je manquais de confiance en moi. En vérité, le problème n'est jamais venu de Cash ou de mon manque de confiance à son égard parce qu'il était soi-disant un bad boy. Certes, c'est un bad boy – sous un certain angle –, mais là n'est pas le problème. Le fait d'être un bad boy ne fait de lui ni une mauvaise personne, ni un mauvais petit ami. Le véritable problème, c'est que mon incapacité à me fier à mon jugement m'empêchait de tirer une telle conclusion. J'ai pris tant de mauvaises décisions dans ma vie, laissé tant de fois mes sentiments m'aveugler, que, le jour où j'ai rencontré un homme digne de mon amour, cela m'a paralysée.

Ça tombe mal.

Maintenant, je me retrouve prise au piège de tous ces non-dits et je regrette d'avoir été si frileuse ; de n'avoir pas agi. De n'avoir rien dit…

Lorsque tout sera terminé, si le destin m'offre une autre chance, je ne serai plus aussi trouillarde…

20

CASH

JE SUIS TROP SHOOTÉ À L'ADRÉNALINE POUR DORMIR. PLUS l'aube approche, plus j'appréhende la suite des événements.

J'ai les yeux rivés sur l'horloge. Comme je n'ai pas de fenêtre, impossible de voir le soleil se lever, mais je sais qu'il se pointe. Du coup, je pense à Olivia : j'espère qu'elle dort à poings fermés dans la maison de sa mère.

Seule.

Je ne supporte pas d'imaginer Gavin allongé à ses côtés. Je grogne et pose mon bras sur mes yeux pour essayer de trouver le sommeil.

Mais ça ne marche pas. Je n'arrive pas à ne plus penser à elle.

Peut-être que je pourrais l'appeler et ne laisser sonner qu'une fois…

Olivia n'a pas le sommeil léger. Une sonnerie ne suffira pas à la réveiller. Si elle ne dort pas, en revanche…

Je prends mon téléphone jetable, appuie sur la touche correspondant à son numéro, et laisse l'appareil faire le reste…

Ça sonne. Une fois.

J'attends une seconde, puis m'apprête à raccrocher, lorsque j'entends Olivia me répondre dans un murmure.

—Hey…, se contente-t-elle de dire.

Je souris et imagine le sourire timide qui doit illuminer son visage… Un seul mot m'a suffi pour comprendre que mon appel lui faisait plaisir. Maintenant, je n'ai plus qu'une envie : rouler jusque chez sa mère, m'introduire dans la maison par la fenêtre, plaquer Olivia contre le mur, puis lui faire l'amour doucement, sans un bruit.

— Tu es réveillé…

— Oui. Impossible de trouver le sommeil. Pareil pour toi ?

— Ouais. Mon esprit tourne à plein régime.

— Pareil ici.

S'ensuit un long silence durant lequel, j'en suis convaincu, elle se demande pourquoi je l'appelle. Pour autant, elle parle avant moi.

— Je suis contente que tu m'aies appelée… Je voulais te parler justement. J'ai quelque chose à te dire. Quelque chose que j'aurais dû te dire tout à l'heure, quand on était ensemble, mais je ne l'ai pas fait. Et maintenant, je regrette de ne pas l'avoir fait. Mais bon, c'est tout moi, ça, je suis vraiment bête, parfois, je…

Je souris dans l'obscurité de ma piaule. Je serais prêt à parier qu'elle triture ses cheveux. Elle ne peut pas s'en empêcher quand elle est tendue ; et vu la vitesse à laquelle elle parle, je n'ai que peu de doute sur son état de nervosité.

— Qu'est-ce que tu voulais me dire ?

Ce serait mentir que de prétendre que je n'en ai pas une idée assez précise : je sais ce qu'elle ressent pour moi lorsqu'elle ne lutte pas et ne laisse pas ses sentiments s'embourber dans des souvenirs à la con. Ce que j'espère de mon côté, c'est qu'après tout ce qu'on a traversé, elle a compris, elle aussi, ce que je ressentais pour elle… Mais c'est une femme, et je crois que les femmes aiment que les choses soient dites en bonne et due forme. Contrairement aux hommes, elles ont besoin de l'entendre, que la déclaration soit gravée dans le marbre de la vie. Cela dit, même si les hommes n'en ont rien à secouer, j'aimerais bien qu'elle lâche le morceau.

Je l'entends prendre une profonde inspiration, et la devine en train de fermer les yeux aussi fort qu'elle le peut comme si

162

elle s'apprêtait à sauter à l'élastique. Connaissant Olivia, c'est exactement l'impression qu'elle doit avoir, d'ailleurs.

—Je crois que je suis en train de tomber amoureuse de toi, lâche-t-elle d'une traite. Attends avant de dire quoi que ce soit ! se hâte-t-elle d'ajouter. Je ne veux pas que tu te sentes obligé de répondre ! C'est juste qu'avant que tu partes, je voulais que tu le saches : j'ai décidé de tirer un trait sur mon passé et de ne pas laisser mes souvenirs tout gâcher entre nous.

—Je ne me sens pas obligé de répondre quoi que ce soit.

—Oh…, dit-elle, surprise. Eh bien… tant mieux, dans ce cas. Vraiment, ça me gênerait…

—Ne t'inquiète pas. Et sache que si je te répondais que je t'aime, moi aussi, ce ne serait pas parce que c'est la réponse attendue dans ce genre de situations…

—OK, dit-elle d'une voix soudain adoucie.

Puis elle s'exclame à voix basse :

—Merde ! Ma mère se pointe ; il faut que je raccroche. Fais attention à toi, tout à l'heure !

—Promis.

—On se voit bientôt ?

—Dès que je te saurai à l'abri du danger.

—Débrouille-toi pour que ce soit le cas très vite, alors.

J'éclate de rire.

—Je te promets de redoubler d'efforts pour que ces enfoirés se montrent dociles.

—Je ne suis pas inquiète : tu es doué pour obtenir ce que tu veux.

—Oh ? Qu'est-ce qui te fait dire ça ?

—Tu m'as déjà obtenue, moi, un certain nombre de fois…

—Attends qu'on se retrouve : j'ai encore pas mal de choses à obtenir de toi…

—Compte sur moi pour te prendre au mot…, murmure-t-elle, un sourire dans la voix.

—Tu me prendras comme je te dirai de me prendre.

—Tout ce que vous voudrez, mon colonel, plaisante-t-elle, en référence à un échange que nous avions eu un jour qu'elle me prenait encore pour Nash.

—C'est ce que je voulais entendre.

—Peut-être même que je pourrai te saluer d'une main sur la tempe quand tu jouiras en moi, qu'est-ce que tu en penses?

—Comme tu veux. En tout cas, moi, je serai au garde-à-vous massif quand ça arrivera.

—C'est une façon de parler aux dames, ça, monsieur?

—Aux dames qui aiment ça, oui.

—C'est pas faux…, admet-elle d'une voix douce. Tu es très prévenant pour un mauvais garçon. Tu es une sorte de bon mauvais garçon, si je comprends bien?

—Exactement… Essaie de te reposer un peu. Je te rappelle dès mon retour.

—OK. À très vite…

Silence. Aucun de nous deux n'ose prononcer les mots que nous attendons pourtant… alors, nous ne disons rien, et Olivia se contente de raccrocher.

21

OLIVIA

Je ne sais pas si avant l'appel de Cash, j'avais la moindre chance de réussir à m'endormir, mais une chose est sûre : maintenant, mieux vaut abandonner tout espoir d'y parvenir.

La vache, je viens de dire à Cash que je l'aime !

Enfin, en quelque sorte… J'ai quand même l'impression d'avoir utilisé une formulation un peu tordue… Bref ! Au moins, le message est passé, avant qu'il parte en guerre contre la mafia. Or, c'est ce que je voulais : qu'il sache ce que je ressentais. La forme était un peu bancale, mais le fond était là.

Cela dit, ce n'était peut-être même pas le passage le plus acrobatique de la discussion… Quand j'y repense, ce qu'il m'a répondu était particulièrement retors !

« Et sache que si je te répondais que je t'aime moi aussi, ce ne serait pas parce que c'est la réponse attendue dans ce genre de situations… »

Qu'est-ce que c'est censé vouloir dire ? Qu'il est amoureux de moi ? Ou alors que, s'il l'était, il me l'aurait dit de façon sincère ? C'est peut-être sa façon habituelle de déclarer sa flamme…

OK : c'est la merde !

Plus j'y pense, plus je repasse chaque mot au crible, et plus je suis perdue !

Sans y réfléchir, je m'habille rapidement, me passe une brosse dans les cheveux, sors de ma chambre, puis descends au rez-de-chaussée. Comme la maison est silencieuse, je fais mon possible pour rester discrète. Ma mère est une lève-tôt. Une lève-très-tôt, même. Elle aime ses matinées paisibles, alors le simple fait d'être ici ne plaide pas en ma faveur et suffit à griller toutes mes chances auprès d'elle.

— C'est un styliste de six ans et demi qui t'a habillée ? Ton tee-shirt est à l'envers.

Je baisse les yeux et constate qu'en effet, mon tee-shirt n'est pas dans le bon sens.

Je ne devrais jamais m'habiller en autopilote !

Je balaie la remarque d'un revers de main.

— Je me suis habillée dans le noir. Je m'habillerai correctement avant que la maisonnée se réveille.

Comme s'il prenait un malin plaisir à me faire passer pour la dernière des menteuses, Gavin entre dans la cuisine au même instant, un grand sourire aux lèvres.

— Bonjour mesdames, dit-il, la voix charmeuse et l'accent affûté.

Un silence s'installe, mais il ne semble pas plus décontenancé que cela.

— Olivia, je comprends d'où vient ton charme : tu ne m'avais pas dit que ta mère était si belle.

Je dois redoubler d'efforts pour ne pas écarquiller les yeux, et, bientôt, j'ai presque mal pour Gavin : c'était comme si Cupidon cherchait à planter une flèche dans le cœur d'une souche.

— Oh, un nouveau charmeur… Je vois, lâche ma mère, caustique et dédaigneuse. Vos flagorneries fonctionnent peut-être sur ma fille, mais ne vous fatiguez pas avec moi : je ne connais que trop les coqs dans votre genre.

— Dans mon genre ?

De toute évidence, Gavin n'a pas la moindre idée de ce qu'elle veut dire. J'aurais dû lui parler un peu plus de ma mère…

— Et si tu filais sous la douche, Gavin ? Je serai prête dans peu de temps.

—On est pressés ?

—Oh, pas vraiment… Mon premier cours est en fin de matinée, mais…

—Ton premier cours ?

—Oui…, lâché-je en lui adressant un regard lourd de sens. Mon premier cours… à la fac ! Tu sais, la fac ? L'endroit où j'apprends des trucs ?

Gavin fronce les sourcils.

—Mais… tu n'as pas cours aujourd'hui.

—Hmm… si.

—Hmm… non.

—Hmm… si ! Je connais mon emploi du temps, merci !

Il me dévisage, sévère, puis tourne légèrement la tête vers ma mère. Il n'a pas la moindre envie de dire ici le fond de sa pensée, et ma mère se méprend totalement sur ses intentions.

—Ne vous fatiguez pas : rien de ce que je dis n'importe aux yeux de ma fille. Jouez-vous d'elle tant que vous voudrez.

—Me jouer d'elle ?

—Vous pensez vraiment que l'empêcher, pour votre propre plaisir, de devenir autonome et instruite, ce n'est pas vous jouer d'elle ? Votre simple présence à ses côtés est une menace pour son avenir. Vous le savez, n'est-ce pas ?

—En quoi est-ce que j…

—Maman, tu te trompes… Écoute, c'est une longue histoire. On en reparlera plus tard, si tu veux. Pour le moment, ajouté-je en fusillant Gavin du regard, il va filer sous la douche, et nous, nous allons prendre un café.

Je doute que Gavin apprécie particulièrement ma façon de mener la danse, mais il est assez futé pour ne pas faire d'esclandres en présence de ma mère. Je crois qu'il a compris qu'elle ne le supportait déjà plus.

Il acquiesce lentement et commence à se diriger hors de la cuisine.

—C'est vrai que je ne cracherais pas sur une bonne douche. Et puis, j'ai quelques coups de fil à passer.

Une fois que Gavin, agacé, a quitté la cuisine, un silence pesant s'abat sur la pièce. Pesant, et chargé de toute une palette de reproches et de jugements aussi expéditifs que blessants. Ma mère n'a pas besoin de prononcer le moindre mot : l'expression de son visage est venimeuse.

Je soupire.

—Maman, je sais ce qu'…

—Prends ma voiture, m'interrompt-elle.

—Pardon ?

—Prends ma voiture et file à la fac. Ne laisse pas ce type t'en empêcher. Un peu de cran, Olivia, bon sang !

Je préfère passer sur le fait qu'elle me trouve trop faible pour affronter la vie toute seule. Ce n'est pas la première fois qu'elle balance sans détour ce qu'elle pense de moi à qui veut l'entendre.

—Maman, tu ne connais pas Gavin. C'est vraiment un type bien.

—C'est exactement ce que tu as dit de toutes les ordures qui ont gâché ta vie.

—Je n'ai pas gâché ma vie, maman. Dans quelques mois, je serai diplômée.

—Et tu retourneras aider ton père, histoire de piétiner ton diplôme dans la boue de la ferme.

—Je ne vois pas en quoi aider mon père reviendrait à gâcher mon diplôme…

—Tout est une question de point de vue. Cela étant, ces types que tu collectionnes, Olivia…

Elle secoue la tête sans chercher à dissimuler son exaspération.

—Maman, j'ai peut-être fait de mauvais choix par le passé, mais ça ne veut pas dire que tous ceux qui correspondent à mon style de mec sont les mêmes. Pourquoi est-ce qu'il ne pourrait exister aucun homme qui soit à la fois bon vivant et un compagnon honnête ?

—Ah, mais je suis sûre qu'il en existe. Je doute simplement de ta capacité à en trouver.

—J'avoue que je n'ai pas forcément pioché les bonnes cartes par le passé, mais cette fois, c'est différent.

—Différent? Tu veux dire que tu n'as jamais ressenti pour un homme ce que tu ressens pour celui-ci? Parce que j'ai souvenir d'avoir déjà eu cette conversation avec toi, mot pour mot, à propos d'au moins deux cas désespérés que tu essayais de sauver des eaux.

—Ces mecs n'étaient pas des cas désespérés, maman…

Se battre avec elle est éprouvant.

—Pourquoi parlais-tu de l'un d'entre eux comme d'un garçon brisé par la vie, alors? L'expression est de toi, Olivia. Ce que tu veux, c'est sauver ces mauvais garçons. Tu veux les faire changer: les transformer en maris modèles. Désolée, ma fille, mais c'est impossible: les types dans son genre ne changent jamais, encore moins pour une fille.

—Certains y arrivent.

—J'y croirai lorsque je l'aurai moi-même constaté. Lorsque l'un d'entre eux t'aura donné la preuve de l'amour qu'il te porte, je n'aborderai plus jamais la question. D'ici là…

D'ici là, je suis la crétine qui tombe dans le même panneau encore et encore…

—Accorde-moi une faveur, dit-elle en posant une main sur la mienne, un geste d'affection rarissime venant d'elle.

—Laquelle?

—Prends ma voiture, va à la fac, et prouve-moi que tu es assez capable pour mettre ce genre d'hommes en laisse. Ne le laisse pas ruiner ta vie… Tu m'épargneras quelques insomnies.

Je peine à le croire, mais elle a l'air sincère. J'irais même jusqu'à dire que je lis sur son visage un peu d'inquiétude. Croit-elle vraiment que je suis fragile et influençable au point de suivre au fond du gouffre le premier loser venu?

Si ce qu'elle me demande peut la convaincre une bonne fois pour toutes que je ne suis pas aussi fragile qu'elle l'imagine, pourquoi ne pas essayer ? Peut-être que cela améliorera notre relation et qu'elle sera disposée à accueillir Cash avec plus de bienveillance.

« *Accueillir Cash…* », répété-je dans ma tête, me rendant compte que cela arriverait peut-être un jour.

—OK.

—Quoi ?

—Je vais prendre ta voiture et te prouver que je suis plus forte que tu le crois. Plus intelligente aussi.

Elle sourit, mais son expression traduit davantage la satisfaction et la suffisance que la fierté et le soulagement. Pourrai-je satisfaire un jour les attentes de ma mère ? J'ai beau en douter, je me sens obligée d'essayer.

—Bien… Autre chose : je ne dirai rien de ton accoutrement, Olivia, mais j'aimerais que tu remettes ce tee-shirt dans le bon sens.

—Ce sera fait. Donne-moi juste une minute : j'ai besoin de me laver les dents et de passer un peu plus de temps dans la salle de bains.

—Prends ton temps. Je vais t'apporter mes clés. Tu pars quand tu veux.

J'acquiesce et lui souris, tout en essayant de ne pas penser à combien Gavin sera furieux quand il se rendra compte que je l'ai laissé en plan. Ce n'est pas bien méchant : je serai à la fac entourée de centaines de témoins. Je ne vois pas où je pourrais être plus en sécurité que là-bas… à moins, bien sûr, de trimballer un ninja armé jusqu'aux dents dans ma culotte.

Ma mère va me chercher ses clés, revient, puis se tourne vers le grille-pain à sa gauche. Sans le moindre mot, elle commence à beurrer ses tartines comme elle le fait tous les matins depuis le paléolithique.

Sans un bruit, je descends de mon tabouret, puis commence à remonter à l'étage. Parfois, je me demande pourquoi je n'arrive pas à me fiche totalement de ce qu'elle pense.

Arrivée en plein milieu de l'escalier, je m'arrête : ce que je m'apprête à faire n'a rien à voir avec ce que ma mère pense de moi et le fait que j'aimerais qu'elle change d'avis. Cela se passe comme ça entre nous depuis des années… Non, la seule raison pour laquelle j'agis ainsi, c'est parce que je veux qu'elle ait suffisamment confiance en mon jugement pour se rendre compte que Cash est un homme bien ; que j'ai enfin réussi à trouver un compagnon qui trouve grâce à ses yeux. Voilà ce que je veux qu'elle constate. Cela n'a rien à voir avec moi, mais plutôt avec Cash. Il ne mérite pas de subir son jugement impitoyable. Ce n'est pas à cause de lui qu'elle est comme ça, mais à cause de mes erreurs passées, des siennes, et de son incapacité à pardonner.

Maintenant que je prends pleinement conscience de la vérité, ma détermination redouble. Je vais lui prouver que ce n'est pas parce que j'ai multiplié les faux pas avec des bad boys par le passé que je suis incapable de trouver la perle rare. Finalement, toutes ces années m'ont appris à me servir avec brio de mon détecteur à connards… Je suis même devenue experte en la matière !

Je souris toute seule : ma mère ne trouverait certainement pas cette expertise à son goût.

Ce qui vient de se passer est une bonne chose, finalement. Pareil pour le fait que je voie une place pour Cash dans mon avenir. Cela veut dire que je laisse une chance à notre relation… J'estime enfin que le jeu en vaut la chandelle. Je veux Cash à tout prix.

Lorsque je passe devant la chambre d'amis, je tends l'oreille. L'eau commence à couler : Gavin vient d'entrer sous la douche. Je file dans ma chambre, attrape mon sac, puis fonce dans la deuxième salle de bains. J'étale sans ménagement du dentifrice sur ma brosse à dents, la fourre dans ma bouche, puis me déshabille, avant d'ouvrir le robinet de la douche. Je déteste sortir sans m'être lavée, si bien que je suis devenue experte en douches supersoniques. Sitôt sortie, je m'habillerai en un clin d'œil, puis me maquillerai en chemin. Je sais que ce n'est pas l'option la plus sûre, mais, à cette heure-ci, les routes sont assez désertes, dans le coin.

Je me lave les cheveux à toute vitesse, me brosse les dents, me débarbouille en moins de deux avec un gant de toilette et le savon hors de prix de ma mère, bondis hors de la douche, puis me sèche avant que Gavin ait eu le temps de régler l'eau chaude.

Je me passe machinalement un coup de déo sous les aisselles, me parfume presque dans le même geste, puis remets les vêtements que j'ai retirés une minute auparavant, m'assurant juste que, cette fois, ils sont dans le bon sens.

— Je ne voudrais pas froisser Mme Balai-dans-le-fion, grommelé-je devant le miroir.

J'enfile mes chaussures à la hâte, cale mon sac sur mon épaule, puis, tandis que je repasse devant la chambre de Gavin, me peigne en me passant une main dans les cheveux. L'eau coule toujours. Je refrène l'envie absurde de serrer le poing en signe de victoire : pour une raison que j'ignore, j'ai le sentiment d'avoir remporté je ne sais trop quelle compétition de haut niveau ; du genre : « Douche rapide – Finale : Testicules contre Ovaires ».

Je lève les yeux au ciel, exaspérée par mes divagations.

Ma mère devait se camer quand elle était enceinte de moi ; je ne vois pas d'autre explication.

Je me lance dans l'escalier et ne prends le temps de respirer que lorsque je m'engage sur la route dans la Cadillac Escalade de ma mère. Une petite demi-heure plus tard, je me gare près du bâtiment où aura lieu mon premier cours. Je préfère ne pas sortir tout de suite de la voiture : j'ignore si c'est déjà ouvert, alors je vais attendre un peu. Prise d'un accès de folie, je contacte Ginger : je ne lui ai pas parlé depuis que toute cette merde a pris une ampleur démesurée.

Elle me répond d'une voix râpeuse.

— J'espère que vous me réveillez à cette heure-ci pour m'annoncer l'arrivée d'un gogo… Sans déconner : vous déraillez ou quoi ?

Je souris.

— Réveille-toi, feignasse, c'est moi.

L'annonce la tire brutalement de son demi-sommeil.

— Liv ?

— Elle est vivante ! Elle est vivante ! plaisanté-je.

— Si tu me promets de ne pas aimer ça, tu auras droit à la fessée du siècle la prochaine fois qu'on se verra… Quelle heure il est ?

— Trop tôt pour toi, c'est une certitude. Navrée, mais je n'avais pas le choix.

— Pour toi, il n'est jamais trop tôt, ma chérie, dit-elle en réprimant un bâillement. Tu appelles de quel numéro ? Tu as ajouté une nouvelle queue à ton tableau de chasse ?

— Ginger !

— Quoi ? Je comptais juste te féliciter pour tes compétences de serial baiseuse.

— Mais bien sûr…

— Eh, je ne suis juge de rien, moi : tant que tu prends ton pied, ça me va !

— J'ai déjà connu plus orgasmique… Le moment n'est pas vraiment aux parties de jambes en l'air.

— Ma pauvre… Faudra demander à l'un de tes jumeaux de s'activer un peu. Bien sûr, s'ils ont besoin d'être formés, tu peux leur donner mon numéro.

— Tiens, puisque tu parles des jumeaux…

— Pitié, dis-moi que tu vas me donner des détails croustillants à leur sujet !

— Non… Cela dit, j'aimerais te parler de quelque chose.

— Tu as besoin de conseils avisés pour choisir un gode, c'est ça ? Si c'est ça, je comprends. La première fois, on s'y perd avec tous les modèles…

Je soupire.

—Non, rien à voir avec les godes… Tu te réveilles toujours dans cet état ?

—Bien sûr ! C'est dans cet état que je me couche : c'est forcément dans cet état que je me réveille ! Et puis, quand on a la flamme, Liv, la vraie, elle ne s'éteint jamais.

Je souris.

—Pareil pour la modestie, apparemment.

—Je ne fais qu'appeler un chat un chat, rien de plus ! Ça s'appelle de l'honnêteté, Olivia.

—Dans ce cas, mets ton honnêteté à mon service, Ginger.

—OK. Alors ?

Comme je n'ai aucune envie de mentir à Ginger, je prends soin d'omettre tout élément qui pourrait attiser sa curiosité. Notamment concernant les jumeaux : cela pourrait vite dérailler.

Je lui sers la version courte – la plus courte, tout du moins – de ma conversation avec Cash. Lorsque je lui rapporte ce qu'il m'a dit, elle répond par un bruit indéterminé qui m'inquiète plus qu'autre chose.

—Qu'est-ce que c'est censé vouloir dire, ça, Ginger ?

—Rien. Pas grand-chose, en tout cas. Et concernant ce qu'il a dit, j'ai surtout l'impression qu'il l'a joué sans couille. Comme toi, d'ailleurs. Ce n'est pas vraiment une déclaration, et, en même temps, ça chauffe juste assez.

—Chauffe ?

—Chauffe, oui. Du verbe « chauffer ». Je suis une spécialiste : je chauffe et me fais chauffer plus que n'importe qui sur cette planète. Je sais de quoi je parle.

—En gros, il ne me disait pas vraiment qu'il m'aimait.

—Par précaution, je préférerais te dire que non. Et puis, entre nous, je doute que tu aies envie qu'il te le dise de cette façon. Il donne juste l'impression d'avoir joué les miroirs à sentiment. « Je t'aime », « Oh la la, moi aussi ! »… Je suis sûre qu'un mec aussi canon peut trouver un truc plus original pour te déclarer sa flamme.

— Oh, niveau originalité, il n'a rien à envier à personne. Je te rassure.

— Liv! Sauf si tu as moyen de me faire livrer sa queue sur un plateau, ne me chauffe pas comme ça!

— Trop compliqué, désolée!

— Compliqué? Ce qui est compliqué, c'est de briser la vitre et d'entrer. Pour une queue comme la sienne, je m'occupe de la vitre, et il entre quand il veut! Je serais prête à commettre un crime et deux ou trois petites infractions pour une heure avec un coup pareil!

— Un crime, c'est tout? Va falloir déployer un peu plus d'efforts si tu veux te dégotter un type de cette trempe, Ginger…

— Bon, OK: trois crimes et aucune infraction, mais c'est ma dernière offre.

— Vendu!

Nous rions en chœur, mais Ginger revient sur la terre ferme avant moi.

— Soyons sérieuses, Liv: si tu aimes vraiment ce type, je serais d'avis que tu prennes le risque. Il faut que tu sois sûre de tes sentiments pour lui. Laisse un type comme ça mener la danse, et on retrouvera des morceaux de ton petit cœur brisé aux quatre coins de la ville.

— Je sais…

— Par contre, si tu as déniché la perle rare, tu seras bien contente d'avoir tenté le coup.

— C'est clair. Et tu sais quoi? Je pense vraiment que c'est lui, ma perle rare.

— OK. Et surtout, n'oublie pas de le prévenir que s'il te fait du mal, je lui envoie mon pied dans les burnes jusqu'à ce qu'elles lui ressortent par la bouche. Compris? Tu lui dis, hein? Non, parce que ce n'est pas une menace en l'air! Il va se prendre tout l'arsenal de Bruce Lee dans les couilles s'il déconne.

— J'espère que tu n'auras pas à mettre ta menace à exécution.

— Moi non plus, ma chérie. Moi non plus.

— En tout c…

On frappe à la vitre de ma portière, et mon cœur fait un bond. Je me retourne brusquement et suis rassurée : un étudiant. Le type, plutôt jeune, porte une casquette des Yankees, un tee-shirt blanc, et son sac pend à son épaule. Comme il me sourit d'un air timide, je baisse la vitre.

— Je peux t'aid…

Je n'ai pas même le temps de finir ma phrase qu'il me colle sur le nez et la bouche un chiffon enduit d'un produit à l'odeur ignoble. Je lutte, mais en vain. En quelques secondes à peine, le visage de l'étudiant devient flou, puis le monde autour de moi vire au noir.

22

CASH

JE ME TIENS DANS LE PARKING D'UN ENTREPÔT ABANDONNÉ dans une des zones les plus sinistres et dangereuses qu'Atlanta ait connues depuis sa fondation. Les Russes m'ont demandé de me pointer seul à cette adresse après avoir récupéré les registres à la banque. Alors, je l'ai fait.

Un peu plus tôt, je suis sorti de mon appartement sans le moindre souci de discrétion, puis me suis dirigé vers une banque que je connais bien. Sa particularité ? La salle des coffres est cachée du reste de la banque, si bien que je pouvais commencer mes magouilles à l'abri des regards.

Dans la pièce d'à côté officiait, derrière son comptoir, un jeune type trop servile. Je lui ai demandé les tarifs de location des coffres, leur niveau de sécurité, bref : ce genre de conneries, histoire de gagner du temps. Il fallait que j'aie l'air crédible. J'ai quitté la banque quinze minutes plus tard avec le même sac qu'à mon arrivée. Une fois dans ma voiture, j'y ai glissé les faux livres de comptes, au cas où quelqu'un aurait eu la mauvaise idée de me braquer en chemin. Cela dit, les Russes se sont tenus à carreau, ce qui m'a convaincu qu'ils voulaient la jouer réglo.

Et maintenant que j'attends je ne sais trop quoi, je ne cesse de penser aux carnets vides qui se trouvent dans ma caisse. C'est

Nash qui a les vrais. Il est sur ma moto derrière un vieux groupe électrogène à quelques centaines de mètres.

Cela va faire six minutes que je suis là, et je n'ai vu personne. Il y a une vieille porte rouillée près de celle à double battant de l'entrepôt, mais je ne m'en suis pas approché. Hors de question que j'entre dans ce bâtiment. S'ils me croient assez con pour ça, ils se foutent le doigt dans l'œil jusqu'à l'omoplate. Je récupérerai Marissa dehors.

Un crissement se fait entendre sur le gravier. Je me retourne et aperçois une camionnette blanche qui se dirige vers moi.

Putain, on peut faire plus cliché que ça ?

Le véhicule s'arrête près de la bâtisse et un obèse en survêt et à la calvitie naissante descend côté passager.

OK, donc, oui, c'est possible…

Le type me tourne le dos, mais je sais que son haut de jogging cache un gilet pare-balles et une chaîne en or. Grand minimum. Apparemment, le look mafieux de ciné n'est plus réservé aux aficionados du *Parrain* ou des *Affranchis*.

Je l'observe, tandis qu'il traverse le parking dans ma direction.

— T'as les registres ? me demande-t-il, une fois planté devant moi.

Il a un accent russe à couper au couteau et roule ostensiblement les « r ». Il n'en faudrait pas davantage à quiconque connaît un peu le crime organisé pour deviner qu'il fait partie de la *Bratva*, la mafia russe.

— Tu sais bien que oui.

De près, je vois sans mal en quoi les vrais mafieux diffèrent de ceux de Coppola et Scorsese. Cela n'a rien à voir avec le visage de mon interlocuteur : il est balafré, certes, mais rien de trop grotesque. Ce n'est pas sa taille, non plus ; le type a une sacrée corpulence, c'est sûr, mais je ne suis pas plus impressionné que ça : par chance, je suis aussi grand que lui et, de toute évidence, en meilleure condition physique. Ce n'est pas non plus ce qu'il dit : c'est direct et sans grande menace.

Non, ce qui me vaut d'avoir les mains moites en face de ce type, ce sont ses yeux : ils sont froids, morts. Si on me demandait un jour de décrire les yeux d'un tueur, ce sont les siens que je choisirais de dépeindre. Je ne parle ni de leur couleur, ni de leur forme, mais de ce qu'on y lit : ce type ne voit aucun inconvénient à faire ce boulot, ça lui a toujours semblé parfaitement naturel. Ce sont les yeux de quelqu'un qui est dépourvu d'âme ; de quelqu'un qui a dû naître sous le signe de la cruauté, la tête pleine d'images de ce qu'il pourrait faire subir à autrui, et qui s'est fait un plaisir de passer à l'acte sitôt en âge de le faire.

Pourvu que ces yeux ne se posent jamais sur Olivia. Pas même à cent mètres.

— Donne-les-moi et je te rends la fille.

— Je veux la voir d'abord. Tu n'auras rien tant que je n'aurai pas la certitude qu'elle est saine et sauve.

L'obèse m'observe de ses yeux morts pendant les dix secondes les plus longues de toute ma vie, avant de se remettre à parler. Sans se détourner de moi, il hurle une phrase en russe. Quelques secondes plus tard, l'une des portes de la camionnette coulisse, et quelqu'un pousse Marissa hors du véhicule. Elle est pieds et poings liés, bâillonnée, et porte un bandeau sur les yeux. Elle tombe sur le sol, s'effondrant sur le côté. Je l'entends gémir de douleur, puis la vois relever les genoux sur sa poitrine. Elle souffre. Malgré le bâillon, je vois son visage tuméfié par endroits ; tout comme son épaule dénudée par la camisole qui l'immobilise. Apparemment, ils l'ont improvisée à partir d'un haut de pyjama que je l'ai déjà vue porter. J'espère qu'ils ne lui ont rien infligé de plus que quelques bleus. J'ai beau ne pas apprécier Marissa, je ne souhaiterais pas ça à mon pire ennemi.

— Maintenant, donne-moi les registres.

— Que tes potes la mettent dans ma voiture.

— Montre-moi d'abord les registres.

Comme j'avais pressenti que cela se passerait comme ça, je ne me sens pas pris au dépourvu lorsque je me retourne et me rends à ma voiture pour récupérer les registres vierges. Je laisse la porte ouverte côté passager, afin de gagner quelques précieuses secondes si la situation venait à s'envenimer. Je me dirige vers le molosse, les registres à la main, et m'arrête un peu plus loin de lui que tout à l'heure. Moins nous sommes proches, mieux je me porte.

Je brandis rapidement les registres, puis baisse la main.

— Maintenant, installez-la dans ma voiture.

Le type m'adresse le sourire le plus glaçant que j'aie jamais vu, et je me demande si je joue correctement les cartes que j'ai en main face à un tel adversaire. Je doute que ce ne soit pas le cas, mais je suis suffisamment intelligent pour savoir que sous-estimer les types dans son genre peut s'avérer fatal.

Alors, je n'en fais rien. Au contraire, je me persuade que j'ai en face de moi un potentiel champion du monde en matière d'intelligence criminelle.

Il aboie de nouveau par-dessus son épaule à l'adresse de son acolyte à l'intérieur de la camionnette.

— Duffy, fous-la dans la bagnole.

J'observe, tandis qu'un type au profil plus local – et plus petit – sort de la camionnette, soulève Marissa, la jette sans ménagement par-dessus son épaule, puis la transbahute jusqu'à la BMW. Il ouvre la portière arrière, côté passager, puis jette Marissa sur la banquette. J'entends ses sanglots s'échapper de la portière avant encore ouverte. Je n'arrive pas à savoir si elle pleure de soulagement ou de douleur.

— Maintenant, file-moi les registres, répète-t-il comme si j'étais un gosse insolent devant qui il commençait à perdre patience.

Au moment où je tends le bras pour lui donner les carnets vierges, mon cœur tambourine dans ma poitrine… Comme je m'y attendais, il les feuillette. Lorsqu'il relève la tête et pose sur moi ses yeux glaciaux, ils paraissent encore plus froids que tout à l'heure.

—Je te croyais plus futé que ça. Ton père a joué les crétins, lui aussi, et regarde ce qui lui est arrivé, commente-t-il, avant de marquer une pause théâtrale. Et sa famille, hein ? L'histoire est pas plus belle…

L'allusion à ma mère et à sa fin aussi tragique que cruelle me met hors de moi.

—Cette fois-ci, la donne est un peu différente : tu vas partir d'ici sans les registres, mais avant ça, tu vas me promettre que ni toi, ni ton boss, ni aucun de vos sacs à merde d'associés ne s'approchera plus jamais de moi, de ma famille ou de mes amis. Parce que si c'est le cas, ces putains de carnets seront le cadet de vos soucis.

—Et qu'est-ce qui te rend si convaincu que je vais t'obéir sans broncher ?

—Parce qu'on a une vidéo en réserve. Une vidéo foutrement incriminante sur laquelle on voit votre homme de main et son détonateur dans le port, il y a sept ans. Or, la piste de ce gars-ci mène tout droit à Slava.

Slava est le boss de la cellule de la *Bratva* dans le Sud.

—De mon côté, je te fais la promesse que tant qu'il n'arrivera rien à qui que ce soit de mon entourage passé, présent et à venir, cette vidéo ne verra jamais la lumière du jour. En revanche, si…

Le téléphone que j'ai fourré dans ma poche se met à sonner. Mon sang ne fait qu'un tour : il y a un problème. Un gros. Il était clair que ce numéro ne devait servir qu'en cas d'urgence ; qu'au cas où un truc avait foiré de belle manière.

Mon estomac se met à faire des nœuds.

Olivia.

—Te réjouis pas. C'est sûrement mon contact qui m'annonce qu'il est prêt à vous balancer quelques images de la vidéo.

Je bluffe. Nash est le seul à avoir vu la vidéo, et elle est sur son téléphone, pas sur le mien. Il en a fait une copie sur une clé USB, mais il ne l'a pas sur lui. Elle est en lieu sûr, si j'en crois ce qu'il m'a dit. Cela dit, mon coup d'esbroufe me fait gagner quelques précieuses minutes.

—Oui? lâché-je dans le combiné.

—Ils ont Olivia.

La voix de Gavin, aussi inflexible et glaciale que de l'acier, se fiche dans ma poitrine comme un poignard.

Bordel, ils l'ont chopée! Bordel de merde! Les fils de pute!

Ils s'en sont pris à Olivia. Je crois que jamais de ma vie je n'avais autant redouté quoi que ce soit. Mon pire cauchemar se réalise aujourd'hui.

—Où? demandé-je, bien conscient de la présence trop proche du molosse.

—Je les ai suivis jusqu'à une maisonnette en briques à Macon. Une planque, à coup sûr.

—Bordel de m…

Je pince les lèvres pour ne pas jurer davantage. J'aime Gavin comme un frère et je lui ai fait confiance. Je lui ai confié la personne qui compte le plus au monde à mes yeux, et il a foiré.

—Comment c'est arrivé? lui demandé-je, essayant de bien choisir mes mots pour ne pas trop en dire.

—Elle a pris la caisse de sa mère pour partir à la fac pendant que j'étais sous la douche.

Je suis si furieux que je ne me sens pas capable de répliquer quoi que ce soit. Après une longue pause, Gavin se manifeste de nouveau, contrit.

—Cash, mon frère, tu sais que je ferai tout pour t'aider à la récupérer. Je suis désolé, t'imagines pas… Je sais qu…

—Stop! lâché-je d'un ton sec.

Il a dû se passer quelque chose d'inattendu: Gavin est l'un des types les plus compétents de la planète. Pour autant, sur le moment, je n'en ai rien à foutre: je suis furieux contre les fils de pute qui ont enlevé Olivia. Furieux et terrifié. Mais je n'ai le temps ni d'enrager, ni d'avoir peur. Tout ce qui compte, désormais, c'est que je récupère Olivia.

—Tu es… prêt à agir ?

—Je suis toujours prêt à agir.

—Je te rappelle.

Mon cerveau tourne à plein régime, tandis que j'essaie de trouver un moyen de nous tirer tous de ce merdier. Leur céder une nouvelle monnaie d'échange – la plus précieuse qui soit, qui plus est – ne faisait certainement pas partie de mon plan initial.

Le visage faussement décontracté, je souris au molosse, me tournant juste assez pour ne pas perdre de vue le plus petit, Duffy.

—Changement de programme. Je vous laisse les registres en échange contre la fille, mais je garde la vidéo comme assurance.

—Dans tes rêves… J'y crois pas à ta vidéo.

Lentement, il fait un pas dans ma direction. Il veut m'intimider et, à vrai dire, il y parvient.

Je recule d'un pas.

—Je vous montrerai un extrait de la vidéo quand je vous filerai les registres. Pour l'heure, vous allez nous laisser filer et nous organiserons un nouvel échange.

—Un nouvel échange ? Ta vidéo contre quoi ?

—Je sais que vous l'avez kidnappée.

Rien que de le dire, je suis pris d'un nouvel accès de fureur : envers eux, envers moi, envers mon père. Mon sang martèle mes tempes, et mes mains se mettent à trembler, impatientes qu'elles sont de sauter à la gorge de ce type et de la déchiqueter.

Sa lèvre supérieure frétille.

—File-moi les registres et la vidéo ou elle crève.

—Non. On fait ça à ma façon ou vous allez vous faire foutre.

—Non. On fait ça à ma façon ou elle crève.

Il avance résolument vers moi. Il n'a plus rien d'intimidant à mes yeux : il devient agressif. Je l'ai mis en colère.

—Et comme tu as eu le malheur de te foutre de ma gueule, je vais la saigner lentement. Peut-être même que je laisserai mes gars s'amuser un peu avec elle avant de la tuer.

Aussitôt, je me retrouve aveuglé par la terreur et la rage. Je suis incapable de ne pas imaginer l'enfer qu'il vient de me décrire, et cède à la panique.

Avant d'avoir la sagesse de me contenir, je donne un énorme coup de poing au colosse de la *Bratva*. Mes phalanges s'écrasent sur sa mâchoire d'acier, et j'entends un « crac » dont je ne sais pas trop s'il provient de ses os ou des miens. Peu importe : la colère me rend insensible à la douleur.

L'obèse est si surpris qu'on puisse oser s'en prendre à lui qu'il recule de deux pas, me donnant l'avantage du prochain coup. J'en profite aussitôt.

Je balance mon coude gauche de toutes mes forces en direction de son visage, atteins ma cible, puis enchaîne les coups : gauche, droite, gauche, droite, poing, poing, coude, poing.

J'entends à peine le bruit de la moto qui approche, pas plus que le type qui, dans mon dos, commence à m'étrangler d'un bras puissant. Je ne cesse de frapper le mafieux que lorsque je suis à deux doigts d'étouffer. Le bras de Duffy m'enserre comme un étau.

Avant que j'aie pu me débarrasser de mon assaillant, l'obèse m'envoie son poing en plein ventre, et je me plie de douleur. Son genou s'écrase ensuite contre ma pommette, et je m'effondre sur le sol, encore assez conscient pour être ébloui par la lumière aveuglante du phare de ma moto.

Je lutte pour retrouver mon souffle, et mes oreilles se mettent à siffler. Sur le sol, je vois les chaussures du Russe reculer. Le manque d'oxygène commence à me filer des vertiges, et la seule chose à laquelle j'arrive à penser est que personne de sensé ne porte de Brogue avec un jogging.

Un voile flou drape ma vision au moment même où j'entends le bruit d'un flingue qu'on arme. Si le bruit me redonne espoir, la voix de Nash me rassure davantage sur l'issue de l'affrontement.

— Lâche-le ou je te colle une bastos dans le crâne.

Je sais que les deux types sont armés, mais mon assaut sur le gros et l'intervention du petit ont donné toute latitude à Nash pour intervenir et prendre l'avantage.

La prise sur mon cou faiblit assez pour que je puisse recouvrer mon souffle. J'inspire et me redresse, gonflant mes poumons autant que faire se peut : j'ai besoin d'air. Après deux respirations profondes, ma vision redevient nette, et je croise le regard furieux du molosse. Ses yeux n'ont plus rien de froid : ils traduisent une évidente envie de meurtre.

— Vous avez merdé bien comme il faut, les mecs…, balance l'obèse en essuyant le sang qui coule de ses narines et de sa bouche d'un revers de main.

Sans me quitter des yeux, il crache à mes pieds, puis reprend :

— On n'est pas du genre à marchander.

— C'est amusant, ça, parce que j'avais l'impression que vous m'aviez justement fait venir ici pour ça.

— Je t'ai fait venir ici pour te buter, tranche-t-il d'une voix glaciale.

— La négociation, c'est pas trop ton truc, hein…

— Un coup de fil, et elle meurt. Si je ne donne pas de nouvelles instructions à mes associés dans l'heure, elle meurt. Quoi que tu fasses, elle va crever.

Sa menace me glace le sang.

— Sauf, poursuit-il, si tu me donnes ce que je veux.

— Je croyais que vous n'étiez pas du genre à marchander…

Le Russe m'adresse un sourire démoniaque.

— Tu sais quoi ? Fais comme tu veux. Si je ne te bute pas aujourd'hui, je te buterai demain. Pareil pour elle. Pareil pour lui,

ajoute-t-il en inclinant brièvement la tête en direction de Nash.
Vous ne pourrez pas vous planquer toute votre vie.

— Si j'étais toi, j'en parlerais à mon boss avant de prendre une décision hâtive. On a plus d'une copie de la vidéo. Si quoi que ce soit arrive à l'une de mes connaissances, la clé file droit chez les flics, accompagnée d'infos de premier choix sur le connard au détonateur et ses sympathiques associés.

Le Russe serre les dents. J'entends le souffle court du petit – Duffy – dans mon dos. Nash est quelque part derrière nous. Les yeux du molosse se sont posés sur lui une fois ou deux, comme s'il le connaissait. Comme s'il avait reconnu mon frère mort, malgré le bouc.

— Je crois pas un mot de tes conneries. Je vais tous vous buter, et je verrai après si j'ai bien fait ou non.

Soudain, Duffy me relâche et vient se poster à côté du Russe. Il se retourne vers nous, tire un flingue de sa ceinture et le braque sur moi. Je sais que je devrais paniquer, mais toute la scène est à ce point surréaliste que je ne suis pas le moins du monde impressionné. Mes émotions et ma raison ne sont pas encore à l'unisson. Mon adrénaline bâillonne la moindre de mes pensées à l'exception de celles qui vont à Olivia et à l'épée de Damoclès suspendue au-dessus de sa tête.

Je fais un pas en arrière et me retrouve à côté de Nash. Je me tourne vers lui et me rends compte que quelque chose ne va pas : sous son teint hâlé, il est pâle comme la mort, et il dévisage Duffy comme s'il venait de voir un fantôme.

— Qu'est-ce qu'il y a ?

— C'est lui…, dit-il à voix basse – trop basse –, comme s'il était sous le choc.

Je n'y comprends rien.

— Qui ?

— Le fils de pute qui a tué maman… Le type de la vidéo.

Pendant près de dix secondes, un silence de mort envahit le parking, le temps que tout le monde digère pleinement la révélation

186

de mon frère. Nash est le premier à revenir sur terre, forcément, et, nous prenant tous de court, il rugit comme une bête sauvage et se rue sur Duffy.

—Fils de pute!

Mes réflexes décuplés par l'adrénaline, je parviens à lancer un bras dans sa direction et à l'arrêter avant qu'il ait fondu sur sa cible.

—Nash, non! Ils ont Olivia!

Les muscles de son épaule se crispent, tandis qu'il essaie d'échapper à mon emprise, et lorsqu'il lève les yeux vers moi, il a l'air complètement hagard, bien trop enragé pour comprendre ce que je lui dis; ou pour en avoir quoi que ce soit à foutre. Je le secoue pour le ramener au réel.

—Ils ont Olivia, mec! Faut qu'on la joue futée!

Son regard me suggère que «futé» n'a pas le même sens pour lui que pour moi. Il n'a rien à perdre dans cette affaire. Tout ce qui compte à ses yeux, c'est assouvir sa soif de vengeance. Or, je me tiens entre lui et son objectif. Pour autant, je préfère crever plutôt que de sacrifier Olivia à son appétit sanglant. Nous aurons tout le temps de nous venger: mais, d'abord, il faudra que nous réfléchissions, que nous façonnions un plan, puis que nous nous préparions. Aujourd'hui, le seul impératif est faire le nécessaire pour qu'Olivia soit saine et sauve. Rien d'autre n'a d'importance. Rien d'autre. Rien.

Je me tourne vers le Russe.

—Tu penses toujours qu'on n'a pas de vidéo?

Si nous n'en avions pas, Nash n'aurait jamais pu reconnaître Duffy.

Le Russe serre les dents, et je comprends que quelque chose ne lui plaît pas. Je n'ai aucun mal à deviner quoi: il sait qu'il n'a aucune chance de partir d'ici avec ce qu'il était venu chercher, et qu'il ne peut pas non plus nous buter et prendre ce qu'il veut. Il n'a pas le choix: il va bel et bien devoir marchander, contrairement à ce dont il s'est vanté il y a quelques minutes.

— Vous ne vous barrez pas d'ici tant que je n'ai pas les registres. Les vrais.

Je hais l'idée de devoir leur abandonner les registres, mais, après tout, c'était l'idée de départ : Nash est d'ailleurs là avec son as en main pour que je puisse les leur remettre sans risque de me retrouver dans la merde. Qui plus est, si c'est l'os que me demandent ces chiens pour me laisser voler au secours d'Olivia, qu'ils le prennent.

— OK. Prenez vos registres. Je vous les laisse pour vous prouver mes bonnes dispositions.

Je me retourne vers Nash et lui adresse un hochement de tête. Je vois ses lèvres pincées et comprends qu'à part une balle entre les deux yeux, il n'a pas la moindre envie de leur concéder quoi que ce soit. J'entends presque ses dents grincer. Il a le teint livide, mais ne se rebiffe pas. Dieu merci… Ces sept dernières années ne l'ont pas changé en enfoiré total : il a encore un peu de considération pour la vie des innocents.

Sans lâcher les deux types des yeux, Nash retire les vrais registres du compartiment situé sous le siège arrière de la moto. Tout en lui adressant un bras d'honneur, Nash envoie les registres à quelques centimètres des pieds du Russe.

Le pif et la bouche toujours en sang, l'obèse lance un mot sec à Duffy – en russe – qui se précipite pour récupérer les carnets. L'assassin de notre mère tend les carnets à son boss qui les feuillette aussitôt, s'assurant qu'ils sont bien remplis de références manuscrites.

Il ouvre chaque carnet et en vérifie la première page ; je pense que ce sont les dates qui l'intéressent. Lorsqu'il étudie le troisième carnet, il l'ouvre au milieu, tourne quelques pages de plus et zieute les rangées de chiffres qui s'y trouvent. Probablement qu'il s'assure, par un moyen inconnu, qu'il s'agit bien des vrais registres et non de reproductions habiles. C'est exactement pour ce genre de raisons que je me suis bien gardé d'essayer de blouser ces types :

on n'en arrive pas à un tel échelon dans le monde merveilleux de la mafia sans un minimum de neurones.

Lorsqu'il a l'air satisfait, il lève les yeux vers moi et esquisse un sourire narquois.

—La fille dans la caisse est à toi, mais sache que tu t'es fait des ennemis ; du genre de ceux qu'on regrette rapidement de s'être faits. On n'en a pas fini avec toi.

Sur ces mots, il adresse un hochement de tête à Duffy, puis les deux se retournent et s'en vont, pas le moins du monde inquiets de nous tourner le dos. Je ne doute pas qu'ils sont totalement conscients que nous savons que leur faire du mal maintenant serait totalement suicidaire… Mon inquiétude, c'est que Nash ne le voie pas du même œil. Mais il ne bouge pas.

Une fois les mafieux dans la camionnette, je me retourne vers mon frère.

—Occupe-toi de Marissa. Moi, je file chercher Olivia.

—Mon cul ! Hors de question que tu me laisses avec l…

—Je n'ai pas de temps à perdre avec tes conneries, Nash. Dégage de ma bécane ou je t'en déloge !

Il hausse un sourcil, et je lis sur son visage qu'il est à deux doigts de m'envoyer bouler, juste pour la forme… mais il se ravise, soupire et descend de ma moto.

—Garde ton téléphone allumé. Marissa va te dire où la déposer.

Je fais fumer ma roue arrière, envoie du gravier sur dix mètres, et sors du parking en trombe. Sitôt dans une rue plus peuplée, je téléphone à Gavin.

—Où t'es, bordel ? me demande-t-il sans préambule.

—En route. Où je dois me pointer ?

Gavin m'indique la route qui mène à la planque et me la décrit le plus précisément possible.

—Tu sais combien ils sont ?

—De ce que j'ai vu, je dirais qu'il n'y a que les deux qui l'ont chopée : un jeune et un vieux. Maintenant que tu es en route, je vais me rapprocher et essayer d'étudier les lieux. Quand tu seras là, arrête-toi à l'extrémité nord de la route et marche jusqu'à la planque. Y a pas mal d'arbres ; pratique pour les balourds dans ton genre.

— Je fais au plus vite.

— Fais gaffe à toi. Il nous faudra quelqu'un pour évacuer Olivia pendant que je nettoierai derrière nous.

Inutile que Gavin m'en dise davantage pour comprendre comment il compte gérer la situation…

23

OLIVIA

Je n'ai pas rêvé. Je m'en rends compte, tandis qu'une montée d'angoisse minimisée par le somnifère me saisit, et que mon ouïe s'éveille péniblement. Je reconnais les voix que j'entends. Ce sont les mêmes que celles que j'ai entendues plus tôt. Quand, exactement ? Je ne sais pas… J'ai totalement perdu la notion du temps.

—Elle se réveille, dit l'un des deux types. Shoote-la encore.

J'essaie de faire « non » de la tête, mais le moindre mouvement provoque une douleur intense dans mon crâne en plus de noyer ma bouche de salive. J'entends un gémissement lointain avant de me rendre compte qu'il provient de ma propre gorge. Ce doit être à ça qu'a ressemblé le « non » que j'avais l'intention de prononcer.

—Dépêche ! Elle va encore se mettre à gueuler, cette conne…

J'essaie de les dissuader une fois de plus, mais ne s'échappe de mes lèvres qu'un bredouillement pâteux.

J'ai beau fermer les yeux, je suis prise de vertiges. J'ai la tête qui tourne et tout tangue dangereusement autour de moi… Je tente de nouveau de parler.

—Arr… rrrêêê… teeez…

Les mots s'extraient de ma gorge comme de la poix.

Qu'est-ce qui m'arrive ?

— Fous-en plus sur le chiffon, et plaque-le plus longtemps sur son visage. Tu la shootes pas assez, là.

Je me mets à geindre, à sangloter. Impossible de me retenir. D'instinct, je sais que j'aurai du mal à tenir le coup s'ils me font encore sniffer ce produit ignoble. Je suis déjà à deux doigts de lâcher.

— C'est… trooop…, bredouillé-je.

L'un des deux baisse d'un ton, mais je parviens tout de même à l'entendre.

— Je ne sais pas…

— Quoi ? Tu penses que le coup de coude dans la calebasse l'a amochée ?

Un coup de coude dans la tête ?

La panique produit en moi une décharge d'adrénaline qui suffit à clarifier mes sens. Au moins un peu, en tout cas…

Je me remémore le parking de la fac… J'ai baissé la vitre de ma portière. Il y a eu le chiffon sur mon visage… Après ça, plus rien, jusqu'à ce que je me rende compte qu'on me transportait. Quelques images diffuses et sans lien les unes avec les autres me reviennent à l'esprit : un pont, deux types qui me jettent à l'arrière d'un autre véhicule… Je me débats, je hurle, griffe et mords le premier bras qui passe… Il me lâche et mes épaules heurtent le sol. Je hurle et me débats davantage jusqu'à ce que quelque chose de dur s'écrase sur mon crâne. Puis, plus rien… Lorsque je reprends connaissance, je suis attachée à un lit ; il n'y a rien d'autre dans la pièce. Je lève la tête et balaie l'endroit du regard : le jeune type est là et se jette sur moi, son chiffon à la main. Il le plaque sur mon visage, et l'obscurité noie mes yeux une fois de plus.

Je ne me souviens de rien d'autre.

— On n'est pas encore censés la buter. File-lui-en juste encore un peu : si quelqu'un veut lui parler ou… je ne sais trop quoi faire avec elle, on la réveillera.

— OK, on fait comme ça.

Je sens des larmes couler le long de mes joues, mais la sensation est lointaine : c'est comme si je sentais mes pleurs glisser sur un tissu dont on aurait recouvert ma peau. J'essaie d'ouvrir les yeux pour voir ce qui se passe, mais ils ne m'obéissent pas. Le simple fait de respirer est une lutte de chaque instant. Je sens ma poitrine lourde et le sommeil trop tentant.

La sensation du chiffon sur mon visage fait disparaître en moi toute velléité de révolte. J'essaie vaguement de tourner la tête, mais la main du type est trop énergique et moi trop faible. Une pensée diffuse me traverse l'esprit, presque anecdotique : et s'ils m'avaient déjà donné assez de ce produit pour me détraquer le cerveau ? Je pense à mon père et à sa tristesse lorsqu'il apprendra que je suis morte. Je pense à ma mère et à son hochement de tête de dédain en apprenant la nouvelle. Mais, plus que tout, je pense à Cash : à la sensation de ses lèvres sur les miennes, à son sourire… Je repense à toutes ces choses que je n'ai pas dites et que je n'aurai plus jamais la chance d'avouer. Je repense à la lâcheté dont j'ai fait preuve alors que j'aurais dû lui dire que je l'aimais. Je sens les larmes couler de plus belle le long de mes joues… jusqu'à ce que je ne ressente plus rien.

24

CASH

EN PLUS D'AVOIR PLEINEMENT CONSCIENCE QUE JE VIENS d'enfreindre une vingtaine de fois le Code de la route, je sais que je joue avec le feu comme un ado suicidaire. Toujours est-il que je ne crois pas avoir déjà traversé Atlanta à cette vitesse, qui plus est à une heure où le trafic est aussi dense. Slalomant entre les véhicules, roulant à toute allure sur les bandes d'arrêt d'urgence pour éviter les bouchons, collant les camions au cul, je crois que je n'ai jamais pris autant de risques de toute ma vie. Quel con… Mort, je ne serai plus d'une grande utilité à Olivia. Pourtant, je m'en cogne : je ne pense qu'à foncer, terrifié à l'idée de tout ce qu'ils pourraient lui faire subir… ou de ce qu'ils lui ont déjà fait subir.

Je suis en proie à une telle fureur que mon sang bouillonne comme de la lave en fusion. Je serre les dents. S'ils lui ont fait le moindre mal, s'ils lui ont arraché ne serait-ce qu'un cheveu, ils n'ont plus qu'à prier.

Le seul fait de penser à ce que les types dans leur genre font subir aux femmes me rend fou. Je me rassure en me disant qu'ils ne l'ont pas capturée depuis longtemps. D'ici mon arrivée, ils l'auront peut-être séquestrée une heure ou deux. Mais pour Olivia, combien de temps cet enfer a-t-il duré ? Une éternité, à coup sûr.

Et le seul responsable, c'est moi… Elle ne serait pas en enfer si je ne l'avais pas entraînée dans ma vie de merde…

J'accélère encore, comme si cela pouvait me permettre d'effacer mes erreurs. Malheureusement, ce qui est fait est fait et je ne peux pas éviter les conséquences de mes conneries. Tout ce que je peux espérer, c'est tenter de me rattraper pour sauver notre avenir ; faire en sorte qu'elle ne soit plus jamais en danger.

Et pour cela, je suis prêt à devenir un criminel.

En arriver à une telle extrémité est en total désaccord avec mes valeurs et la voie que j'ai empruntée depuis sept ans, mais, aujourd'hui, je comprends les motivations de mon père : tout ce qu'il a fait, il l'a fait pour nous. Même si c'était complètement con. Il nous aime au point d'en avoir bravé certains interdits et dépassé certaines limites. Et je compte bien en faire autant.

Parce que j'aime Olivia comme jamais je n'ai aimé personne.

Une fois de plus, comme un cauchemar trop tenace pour se dissiper lorsqu'on ouvre les yeux, je l'imagine en train de hurler, tandis que ces enfoirés la torturent, arrachent ses vêtements et la tripotent de leurs mains avides. C'est à ce moment que toutes mes convictions partent en fumée : je n'hésiterai pas à buter quiconque lui aura fait du mal. Je le regretterai peut-être toute ma vie, mais si c'est le prix à payer pour qu'elle soit en sécurité, je n'hésiterai pas une seconde.

La rage met mon estomac au supplice. Je serre les dents tant et si bien que je risque de les briser. La colère m'envahit, se débat et rugit en moi comme un lion en cage.

J'accélère encore.

Pour Olivia.

Quelques centaines de mètres avant d'arriver à destination, je suis hanté par des pensées violentes. Aussi, lorsque je passe devant la rue que m'a indiquée Gavin, je crains d'exploser si je ne mets pas bientôt mes mains autour du cou de quelqu'un jusqu'à ce qu'il s'écroule à mes pieds…

Je gare ma bécane derrière une camionnette rouge, descends la rue comme si de rien n'était jusqu'à l'intersection située près de la planque où les mafieux séquestrent Olivia, m'arrête devant le panneau « STOP » et étudie les environs à l'affût du moindre détail, tâchant de paraître le moins suspect possible.

La rue n'a rien de particulier. Bon choix. Quartier populaire un peu pourri à en croire la taille et l'aspect des baraques. De part et d'autre de la rue, deux rangées parfaitement alignées de petites maisons carrées. Des jardins sans apprêt. Pas d'esbroufe architecturale, ici. Si je distingue quelques deux roues çà et là, je ne vois pas d'équipements de loisirs particulièrement onéreux devant les maisons.

Tandis que j'avance le long du trottoir craquelé qui serpente pour contourner quelques arbres, je me rends compte que ces connards n'auraient pu trouver d'endroit plus approprié pour passer inaperçus. Quelques caisses sont garées dans la rue ; sûrement celles de ceux qui bossent de nuit et sont en train de pioncer. Les autres résidents sont soit au boulot, soit à l'école, laissant tout loisir aux criminels d'agir à leur guise dans le plus grand anonymat : il n'y a pas âme qui vive, personne pour donner l'alerte si des hurlements se font entendre.

J'aperçois la caisse de Gavin. Je m'approche en balayant l'endroit du regard, de gauche à droite. Quand je suis sûr que personne ne nous épie, je monte côté passager.

Gavin me passe immédiatement un couteau muni d'une lame de dix centimètres, idéal pour trancher une gorge ou transpercer sans mal quelques centimètres de masse musculaire. Sans la moindre question, je le prends et le planque dans ma botte, tandis que Gavin visse un silencieux sur le canon de son Makarov.

—Ironie du sort, non ? dis-je en faisant référence à l'arme de fabrication russe.

Gavin sourit.

—Alors, t'as appris quoi ? ajouté-je.

—Pas beaucoup plus. C'est difficile de contourner ces baraques, surtout en plein jour. Si j'avais eu du temps pour me préparer, j'aurais joué l'électricien perché pour vérifier les câbles téléphoniques, mais là… C'est déjà une chance que j'aie mon matos avec moi.

— Je remercie le destin de t'avoir rendu totalement parano, dans ce cas.

— Clairement. Sans ça, ta nana serait vraiment dans la merde.

— Encore plus dans la merde, tu veux dire…

— Honnêtement, ça aurait pu être bien pire… Quoi qu'il en soit, les deux tanches qui l'ont chopée ne devraient pas nous poser de problème. À mon avis, on a eu du cul que l'échange ait eu lieu en même temps. Sans ça, ils l'auraient joué différemment… En se débarrassant du corps de l'autre gonzesse au fond d'un lac, notamment. Au final, je pense qu'on s'en sort plutôt bien. Qui plus est, personne ne devrait se pointer ici : en théorie, les gros bras ne débarqueront que lorsque les pisseux qui ont kidnappé Olivia ne répondront plus au téléphone.

L'avantage d'être dans un quartier où chacun ne s'occupe que de son cul.

— Tu ne crois pas que c'est risqué d'être resté ici toute la matinée ? Quelqu'un a peut-être noté ton immatriculation.

— Non : j'ai tourné au bloc d'immeubles suivant quand ils se sont arrêtés devant la baraque, et j'ai mis une de mes fausses plaques. Elles sont aimantées ; suffit de les plaquer contre la vraie et on n'y voit que du feu. Si jamais quelqu'un a noté mon numéro et que la police décide de fouiller un peu, les enquêteurs se retrouveront avec les infos d'un vieux pédophile qui vit à Canton.

Gavin marque une pause et acquiesce en fronçant les sourcils.

— D'ailleurs, j'espère que quelqu'un préviendra la police : cet enculé mérite bel et bien une petite descente de flics.

— Bon, et nous, comment on gère le truc ?

Rien qu'à l'idée de passer bientôt à l'action, mon sang se charge d'adrénaline au point que j'ai l'impression de pouvoir soulever une caisse à bout de bras !

—Tu ne flippes pas à l'idée de rentrer là-dedans, rassure-moi ? me taquine Gavin.

Je pense à Olivia et serre les dents.

—J'ai hâte de débarquer et de dérouiller ces connards. S'ils lui ont pété ne serait-ce qu'un ongle…

Je ne termine pas ma phrase, assailli par des images de mafieux en train de torturer Olivia.

—Garde la tête froide, Cash. Va falloir qu'on assure, là-bas dedans, si on ne veut pas se foutre encore plus dans la merde.

Je prends une profonde inspiration et acquiesce.

—Je sais, je sais. Tout ce que je veux, c'est la sortir d'ici en vie : peu importe ce qui arrive à ces fils de pute du moment qu'ils ne sont plus une menace pour elle.

Je regarde Gavin. Il m'adresse un hochement de tête.

—Ils ne la feront plus jamais chier.

Gavin ne plaisante pas. On échange un bref regard, et j'acquiesce.

—Plus jamais.

Nouvelle montée d'adrénaline, mêlée, peut-être, à une légère crainte à l'idée de ce qui pourrait arriver. Je n'ai pas peur des types en eux-mêmes, ni même de réussir à sortir Olivia de ce merdier : je l'en sortirai, c'est sûr, et je m'assurerai qu'elle restera à l'abri pour toujours. Ce qui m'inquiète, ce sont les conséquences de notre opération. Je sais par expérience ce qui se passe quand on déconne avec des types comme eux. Et c'est crade… Genre à finir à vingt-cinq balais la gorge en sang dans un caniveau…

—Allez, finissons-en. Dépose-moi un peu plus loin, puis file te garer ailleurs. Tu passeras par-devant, moi, par-derrière. Je suis sûr qu'il y a une porte, derrière.

—Gaffe : tu pourrais tomber sur un os ; les gars auxquels on a eu affaire tout à l'heure ont probablement déjà prévenu ceux qui ont kidnappé Olivia.

—Oui, mais ils ne doivent pas se douter que je sais où ils se planquent.

—Certes, mais ils ont dû recevoir un coup de fil leur indiquant que la donne avait changé. Ils sont peut-être sur le point de déplacer Olivia ou de s'en prendre à elle.

Je suis en plein cauchemar, j'ai la gorge nouée.

—On y va.

Gavin démarre sa caisse.

—Regarde sous le siège arrière : j'ai un compartiment où je planque des chapeaux, des gants et du maquillage. Ce ne sera pas aussi efficace que le couvert de la nuit, mais ça brouillera les pistes.

J'essaie de lever la banquette arrière, mais rien ne bouge.

—Il y a un petit levier sous le coussin, précise Gavin.

Je tâtonne, trouve le levier et l'actionne. Le coussin de la banquette arrière se lève et révèle une cache qui recèle bien plus que quelques chapeaux, gants et articles de maquillage…

—Mon meilleur pote est une milice à lui tout seul, lâché-je, caustique, en prenant ce dont nous avons besoin.

—Ne me remercie pas.

Je referme le compartiment, me retourne et croise le regard de Gavin.

J'acquiesce.

—Si, je te remercie. Plus que tu ne pourras jamais l'imaginer.

Gavin acquiesce à son tour. Il sait que je suis sincère. Je le lis sur son visage. J'ai l'impression que Gavin et moi formons une équipe solide : on a chacun un passé foireux dont on essaie de se défaire, on est prêts à franchir toutes les limites pour protéger ceux qu'on aime et il y a de fortes chances pour qu'on crève tous les deux avant l'heure. Autant dire que ça rapproche. Plus efficacement que quelques matchs de foot ou fêtes étudiantes à boire comme des trous.

J'ôte le couvercle du petit pot rond de maquillage : il contient une crème noire semblable à du cirage, mais en plus huileux. Je baisse le rétro, plonge deux doigts dans le produit et m'en passe sur les joues jusqu'à ce que mes traits deviennent plus grossiers et moins reconnaissables.

J'enfile ensuite une casquette, baisse la visière sur mes yeux, puis revêts une paire de gants. Gavin arrête la voiture dans la rue située derrière la maison.

— Dès que j'arrive sous le porche, je siffle, me prévient Gavin. Garde la tête basse et les mains dans les poches. Prends garde aux embuscades et, une fois dedans, fais gaffe à ton cul.

— Merci, mon pote. Fais pas le con, toi non plus.

— Je laisserai les clés de la caisse sous le paillasson. Récupère Olivia et barrez-vous aussi vite que possible.

— Tiens, lui lancé-je en lui donnant les clés de ma moto. Elle est derrière une camionnette rouge, une rue plus loin. On se retrouvera chez moi, ajouté-je en posant une main sur la poignée de la portière. Rendez-vous en enfer.

Gavin sourit et lève le poing. Je le frappe du mien et sors de la bagnole.

Le menton bas, les mains dans les poches, je traverse lentement le trottoir jusqu'à la maison située juste derrière celle où les mafieux séquestrent Olivia. Comme si de rien n'était, je traverse le jardin, contourne la baraque et me dirige d'un pas déterminé vers la planque.

Le ronronnement de la caisse de Gavin s'élève derrière moi, tandis qu'il file se garer plus loin. Je ralentis juste assez pour lui laisser le temps d'arriver à la porte. Je m'arrête et fais mine de relacer ma chaussure : ça n'a aucun sens, puisque j'ai des bottes, mais, à bonne distance, personne ne devrait pouvoir s'en rendre compte. C'est du moins ce que j'espère.

De l'autre côté, j'entends enfin les pas de Gavin sur le perron, puis un sifflement discret. Je me redresse et avance jusqu'à la porte de derrière : le vieux battant en bois ne devrait pas résister à un bon coup de pied.

J'entends la sonnette retentir, suivie de quelques chuchotements et bruits de pas. J'essaie à tout hasard la poignée… Fermée.

Y a que dans les films que ça marche, ce genre de conneries…

Dès que je comprends que Gavin est passé à l'action – en l'occurrence, quand j'entends un type hurler : « Bordel de merde ! » –, je lève une jambe et viens fracasser la porte de toutes mes forces juste sous la poignée. Comme je m'y attendais, le bois cède facilement et la porte s'ouvre. Debout dans la cuisine, l'un des ravisseurs d'Olivia, totalement éberlué, me voit surgir au milieu des débris de la porte. Le type est jeune, genre étudiant, mais ça ne m'empêche pas de le démonter en bonne et due forme.

Il ne voit même pas mon poing arriver. Deux coups en plein visage et voilà qu'il s'effondre, sans connaissance.

Putain de larve…

Je l'enjambe, jette un coup d'œil vers la porte d'entrée et, lorsque je vois que Gavin s'en sort sans le moindre mal, commence à chercher Olivia.

Un court couloir file à ma droite : sur les côtés, trois portes fermées.

Où est-ce qu'elle peut être, merde ?

Au fond du couloir se trouve une dernière porte, fermée elle aussi, qui pourrait aussi bien donner sur un placard que sur une autre pièce… voire sur un escalier menant à la cave. Je fonce et ouvre la première porte.

J'ai à peine le temps de voir bouger l'enfoiré qui m'envoie son poing en plein ventre. Je fais abstraction de la douleur et expédie mon poing droit entre ses cuisses. Il gémit et s'écroule à mes pieds : aussitôt, je lui donne un coup de pied dans les côtes, et lui envoie mon poing en pleine face. Sa tête retombe mollement, et je lui file un dernier coup pour m'assurer qu'il ne se relèvera pas.

OK, ils sont plus nombreux que Gavin le pensait…

Je parcours la petite chambre du regard : il n'y a rien d'autre ici qu'un fauteuil miteux et une télé posée sur une caisse en plastique. Je sors de la pièce et passe à la porte suivante, tâchant d'être un peu plus alerte.

Je tourne la poignée, pousse la porte, puis recule. J'entends le coup de feu une milliseconde avant de sentir la balle effleurer mon épaule, mais il en faudrait davantage pour m'arrêter. La suivante, en revanche, m'écorche le côté gauche bien comme il faut : coupé dans mon élan, je serre les dents et, malgré la douleur atroce, me rue sur le type avant qu'il ait pu appuyer encore sur la gâchette.

Nous nous écroulons tous deux au sol, et j'use de toutes mes forces pour le retourner, chose difficile tant ce fils de pute balafré est gras. Dès que je suis en position de force, je lui assène un coup de tête en plein nez. Le cartilage cède, craque si fort que je l'entends malgré mon rugissement furieux.

Le type se met à hurler et, avant même qu'il ait le temps de contre-attaquer, j'aperçois les bottes de Gavin près de sa tête. Une seconde plus tard, Gavin, coude replié, étrangle l'homme de toutes ses forces. Le mafieux balance ses mains sur le bras de Gavin, mais c'est peine perdue : en plus d'être fort comme un bœuf, mon meilleur pote est deux fois plus rageur face à un type qui n'est pas dans son camp. Pas de bol pour le Russe : il est dans l'équipe adverse.

Je me relève, adresse un bref hochement de tête à Gavin, puis me rue vers la porte. Plus que deux pièces à vérifier.

Olivia est forcément quelque part dans cette putain de baraque.

25

OLIVIA

QUAND JE REPRENDS CONNAISSANCE, J'ENTENDS UNE détonation assourdissante suivie d'un impact contre le mur. Je sais où je me trouve : l'un des avantages d'être prisonnier, c'est qu'on se familiarise rapidement avec les lieux. Je me souviens de la peur qui m'a saisie lorsque mon ravisseur a placé le chiffon sur mon visage.

Lorsque j'ai entendu le coup de feu, bizarrement, je n'ai pas du tout paniqué. Au contraire : j'ai été soulagée. Soulagée, parce que je me suis dit que mon cerveau était encore fonctionnel : dans le cas contraire, je n'aurais jamais pu faire si rapidement le lien entre le son et un coup de feu.

Je ne suis pas encore un légume…

J'entends un deuxième tir et, cette fois, je réagis de façon nettement plus logique : je panique. Non, pire que ça… Je suis terrifiée. Mon pouls s'affole et, lorsque je sens mon corps engourdi presque incapable de se mouvoir, j'angoisse de plus belle. Quoi qu'il soit en train de se passer ici, je ne peux rien faire. Impotente comme je suis, mon destin va se jouer alors que je suis incapable d'aligner deux mots.

Ginger… J'aurais bien besoin d'une amie…

Je m'inquiète d'être capable d'une telle légèreté dans une situation aussi désespérée.

Je lutte pour ouvrir les yeux. La vision trouble, mes paupières papillotent mollement. Au moment où je vois une lumière intense au plafond, je suis prise de nausée. Je referme les yeux une demi-seconde, puis me fais violence pour les rouvrir.

J'entends des bruits sourds, des coups, puis des pas lourds sur le plancher. Mon cœur flanche lorsque, paniquée, je comprends ce qui se passe.

Ils viennent me chercher! Ils viennent m'achever!

Redoublant d'efforts, je lève la tête du coussin plat et puant sur lequel elle repose, puis regarde de gauche à droite. Je me trouve dans une petite chambre à peine meublée. Seule. Il y a une fenêtre à ma gauche.

Je sens à peine couler mes larmes: je les devine seulement, car elles troublent ma vision. Il suffirait que j'arrive à atteindre la fenêtre, puis à filer vers la liberté.

Peut-être qu'on m'aidera, dehors…

Je prends une inspiration profonde, plie les bras, puis cale mes coudes sous mes côtes pour tenter de me redresser tant bien que mal. J'ai les bras en coton; ils se dérobent dès que j'essaie de forcer. J'essaie de nouveau, sans plus de succès.

Mes vaines tentatives et le caractère désespéré de ma situation me frappent de nouveau de plein fouet. La seule différence, c'est que, cette fois, personne n'est là pour me droguer: plus je passe de temps sans ce foutu produit dans les poumons, plus je reprends du poil de la bête. Et plus je panique.

Je suis décidée à essayer sans relâche jusqu'à atteindre mon but, lorsque j'entends la porte voler en éclats derrière moi. Des bouts de bois fusent aux quatre coins de la pièce, tandis qu'apparaît devant moi la silhouette d'un inconnu. Mon esprit tente de trouver un sens à tout ce qui se passe sous mes yeux.

Soudain, le corps de cet homme que je n'ai jamais vu – grand, les cheveux châtains bouclés – retombe au pied du lit. Je lève les yeux vers la porte, la gorge serrée, et c'est comme une apparition.

Cash se tient là, tel un nuage d'orage parcouru par la foudre, le visage zébré de traces noires et la bouche déformée par la rage. Il a l'allure féroce d'un ange de mort.

Mais d'un ange, tout de même…

L'espace d'une seconde, nos regards se croisent. Je devine toute sa furie, sa détermination, sa soif de vengeance. Mais je devine aussi son soulagement… et quelque chose d'autre ; quelque chose qui me fait chavirer. Et puis, son attention se focalise de nouveau sur le corps au pied du lit.

Cash se met à genoux, et je vois ses poings s'abaisser l'un après l'autre, encore et encore, tandis qu'il rugit tel un animal enragé. Le bruit sinistre du cartilage et des os qui se brisent me glace le sang. J'ai beau imaginer la masse ensanglantée qu'a dû devenir le visage de l'inconnu sous les poings puissants de Cash, je n'éprouve pas la moindre pitié pour cette enflure. Pour tout dire, si j'en avais eu la force, je pense j'aurais même apporté ma pierre à l'édifice…

Quelques secondes plus tard, Cash se relève et se rue à côté du lit. La scène me paraît plus réelle lorsqu'il s'accroupit, approche son visage du mien, et vient effleurer ma joue du bout des doigts.

—Ça va ? murmure-t-il.

La souffrance et la culpabilité se lisent dans ses yeux. Il pense que tout ceci est sa faute.

—Maintenant, oui.

Il ferme les yeux une demi-seconde. Lorsqu'il les rouvre, il semble si sincère que j'ai l'impression de pouvoir lire en lui comme dans un livre ouvert.

—Merde, Olivia, je ne savais pas… Je croyais que… S'ils t'ont fait quoi que ce soit, j…

—Je vais bien, le rassuré-je.

J'ignore encore si c'est le cas, mais je ressens le besoin irrépressible d'apaiser Cash.

Soudain, il reprend ses esprits.

—Il faut qu'on parte d'ici.

Il a raison. Toutefois, si les effets du somnifère se dissipent peu à peu, je ne crois pas être encore en état de marcher.

— Tu peux m'aider à me relever ?

Il fronce les sourcils.

— T'aider à te relever ? crache-t-il comme si je venais de l'insulter.

Je n'y comprends rien, mais Cash ne me laisse pas le temps de demander des explications : il se relève, passe ses mains sous mes genoux et mes bras, et me soulève.

Comme si j'étais sous l'emprise d'une tout autre drogue, dès que je me retrouve dans les bras de Cash, je me sens envahie par une énergie aussi nouvelle qu'intense ; étrange aussi. J'ai l'impression de m'effriter sous ses doigts et de voler tout à la fois ; de danser et de pleurer… de vivre et de mourir. Lovée contre lui, je me cramponne autant à ses allures de bad boy qu'à son cœur d'homme juste. Il est mon univers. Il s'est imposé comme tel sans crier gare, comme si, au détour d'une ruelle, j'étais entrée en collision avec mon destin.

Mon destin.

Mon amour.

Mon héros…

En un éclair, je comprends que, contrairement à ce dont je m'étais persuadée, jamais auparavant un bad boy ne m'avait brisé le cœur. Jamais un petit ami infidèle ne m'avait dévastée. Jamais un manipulateur ne m'avait totalement dupée. Pourquoi ? Parce que jamais je ne les avais suffisamment aimés pour qu'ils me blessent vraiment, pour qu'ils m'affaiblissent de façon inéluctable. Certes, ma fierté a été souillée, mon cœur s'est fait chahuter trop souvent et mon amour-propre s'est pris deux ou trois coups douloureux, mais tout ceci n'était que quelques petits bobos de rien du tout en comparaison de la douleur que j'éprouverais à perdre Cash.

Ce que j'ai compris de mes déceptions amoureuses, c'est que j'ai du mal à accorder ma confiance. J'ai mis mes échecs passés sur le compte des hommes que j'ai rencontrés. J'ai accusé ces coureurs de jupons de toutes mes déconvenues sentimentales. Mais, chaque fois, j'étais la seule responsable de mes défaites. Chaque fois, j'ai opté pour des hommes qui me prouveraient combien j'avais raison de voir en eux des salauds, pour mieux ne jamais avoir à contempler dans le miroir mes propres défauts ; mes propres peurs, aussi. Autant dire que ma stratégie de fuite était parfaite... jusqu'à l'arrivée de Cash. Il a brisé toutes les règles de mon univers : il ne me donne aucune raison de le fuir –de me fuir–, et toutes de rester... Et c'est pour cela que je dois trouver le courage de le faire : je dois prendre le risque que cela ne marche pas entre nous, risquer de finir le cœur brisé. Je peux m'investir corps et âme dans cette histoire avec Cash ; tout ce qu'il me reste à faire, c'est de croire en cette chance qu'il me donne.

Pour de bon, cette fois-ci.

Mais suis-je capable de faire ce pas en avant ? Serai-je capable de lui dire que je l'aime –le penserai-je seulement ? – tous ces autres jours où je n'aurai pas la mort aux trousses ? Où rien ni personne ne menacera ma vie ? Suis-je capable de laisser moi-même s'effondrer devant lui les remparts que j'ai érigés pour protéger mon cœur ?

Il a suffi d'une seconde, d'un regard de sa part pour que mon esprit embrumé par la drogue se change en un labyrinthe de doute et de confusion. Reconnaissante qu'il m'ait permis de renaître, je repose ma tête contre son torse et le laisse me porter hors de la chambre. Bientôt, je n'en doute pas, j'aurai tout le temps de réfléchir, de me perdre en pensées et de lui déclarer ma flamme.

C'est du moins ce que j'espère.

Les lèvres de Cash caressent mes cheveux, et je sens contre son torse résonner son soupir. En trois longues et puissantes enjambées, il traverse la pièce et me transporte jusque dans le couloir. Il marque une pause devant la première porte, inspecte la première pièce, puis la deuxième. Comme il la trouve également vide, il s'adosse au mur et se faufile jusqu'à la lumière éclatante à l'autre bout du couloir.

Je suis si surprise de voir Gavin à quelques mètres de nous que je laisse échapper un petit cri de surprise. Son visage est recouvert du même cambouis que celui de Cash. Ce noir profond fait ressortir ses yeux azur. Pour autant, ils n'ont plus rien des yeux étincelants auxquels je m'attendais : ils sont froids, déterminés et… inquiétants. C'est comme si une autre personnalité avait investi l'enveloppe charnelle du meilleur ami de Cash.

— Elle va bien ? demande-t-il à Cash en me désignant d'un hochement de tête.

— Je crois, oui. Je m'en assurerai quand je l'aurai ramenée à la maison.

— Je vous rejoins bientôt. Il me reste un peu de ménage à faire.

Sans un mot de plus, Gavin entre dans la pièce située à ma droite, prend un type amorphe par les mains et le tire vers le couloir. Cash le dépasse et se dirige vers la porte d'entrée. Par-dessus son épaule, j'observe Gavin. Il tracte l'homme inconscient jusque dans le salon – il n'y a aucun autre meuble dans la pièce qu'un vieux canapé brun –, puis le dépose au bout d'une ligne de corps macabre : plusieurs hommes sont allongés là, épaule contre épaule, apparemment sans connaissance. Un frisson me parcourt l'échine lorsque je me demande ce qu'il va advenir d'eux. C'est à cet instant que je me rends compte que même si je ne pourrais leur en vouloir davantage de m'avoir kidnappée, je n'ai pas la moindre envie d'être témoin des prochaines minutes de leur vie. Je suis convaincue que je vivrai plus tranquille si je n'en sais pas plus.

Une fois dehors, Cash s'arrête sur le perron et balaie la rue du regard. Dès qu'il repère ce qu'il cherchait, il se met à descendre la rue à grandes enjambées. Je repère la voiture de Gavin une demi-seconde avant d'entendre le « bip » de déverrouillage. Cash ouvre en hâte la portière côté passager et, avec une tendresse si intense et sincère qu'elle m'en tire des larmes, m'installe sur le siège et m'attache avec la ceinture de sécurité.

Il lève la tête, et son regard se perd dans le mien. Il a l'air tout aussi épuisé que soulagé lorsqu'il me sourit, grimaçant presque en me voyant si faible.

—Repose-toi, ma puce. Tu es en sécurité, maintenant.

Ses lèvres caressent les miennes, puis il ferme la portière.

Il n'est pas installé derrière le volant que je m'endors déjà.

26

CASH

Hors de moi, je resserre mon emprise sur le volant.
Je parle comme une putain de gonzesse!

Nous roulons assez longtemps pour que mes veines soient enfin purgées de l'adrénaline qui y bouillonnait, et je ne peux plus me focaliser sur quoi que ce soit d'autre qu'Olivia. J'ai dû regarder son visage endormi une bonne trentaine de fois depuis notre départ. Plus, peut-être. Le double ou le triple.

Elle est si belle que le simple fait de la voir me rassure. Même si je refusais de me dire que je n'arriverais peut-être pas à la sortir de là vivante, je pense qu'inconsciemment, l'idée devait me hanter. Maintenant qu'elle est en sécurité, j'hésite entre la satisfaction de l'avoir sauvée et mes promesses de ne jamais plus la mettre en danger. Aujourd'hui, j'ai posé la première pierre de cet édifice…

La vidéo de Nash nous a permis de gagner un peu de temps, et Gavin se charge des soucis logistiques qui pourraient nous causer des emmerdes auprès des flics, en plus d'envoyer aux mafieux un message aussi clair pour eux qu'il est dangereux pour nous. Prochaine étape: faire tomber les têtes pensantes de la *Bratva* et s'assurer que personne n'aura plus la moindre raison de venir faire chier Olivia… à moins d'être prêt à en assumer les conséquences.

J'espère que la deuxième annonce —le deuxième as dans la manche de mon père— me donnera un ascendant supplémentaire

213

sur les Russes. Dans le cas contraire, je devrai faire avec ce que j'ai, le temps de trouver le plan d'action idéal. Maintenant qu'Olivia est en sûreté, je vais pouvoir réfléchir de façon plus sereine.

Le seul fait de penser à elle me pousse à tourner la tête vers le siège passager où elle se repose en silence. Je tends une main pour caresser la sienne, mais la retire avant de l'avoir effleurée : je ne voudrais pas la réveiller…

Ce que j'ai envie de la toucher, merde !

C'est compulsif : j'ai besoin de la sentir sous mes doigts pour m'assurer qu'elle est bien avec moi et qu'elle va bien. Compulsif… et ridicule.

Putain, je vais me réveiller avec des ovaires, demain, si j'arrête pas mes conneries !

Le truc, c'est que je ne sais pas comment cesser de penser à elle et à son bien-être. Jamais je n'ai voulu ressentir ce genre de choses pour une femme… D'ailleurs, est-ce que je ressens vraiment ce que je pense ressentir pour elle ? Peut-être bien… C'est comme si Olivia m'avait hypnotisé, et je déteste cette impression. Je hais me sentir aussi désarmé, aussi impliqué, à ce point guidé par mes sentiments. Je refuse de perdre le contrôle pour une femme.

Ça n'arrivera jamais. Il ne faut pas que ça arrive.

Les dents serrées, plus déterminé que jamais, je garde les yeux rivés sur la route devant moi.

Et plus sur Olivia.

Lorsque, deux heures plus tard, Gavin reparaît, Olivia dort à poings fermés dans mon lit. Nous allons dans mon bureau pour ne pas la déranger.

— Comment elle va ?

— Elle dort depuis notre départ. Elle est à bout.

— On est tous à bout, mec. À commencer par toi : t'as vraiment une sale tête.

— Merci, Gav. Je peux toujours compter sur toi pour me caresser dans le sens du poil.

Son sourire est tout ce qu'il y a de plus naturel : il semble déjà avoir oublié ce qui vient de se passer. C'est sa capacité à assumer son passé – et son présent, de fait – qui fait de lui un type si efficace. Pour lui, le monde est totalement manichéen : il y a le bien et le mal. La vie et la mort. C'est un type bien, il a juste un peu de mal à supporter les criminels. C'est d'autant plus amusant que c'est probablement comme ça que la totalité des policiers de la planète le considéreraient s'ils avaient son dossier entre les mains. Je veux dire, pas la peine d'essayer de faire passer des vessies pour des lanternes : Gavin est un ancien mercenaire, un chasseur de primes, un tueur. C'est juste que c'est un tueur doté d'un sens moral et d'une conscience à toute épreuve. Mieux vaut être sur la même longueur d'onde lorsqu'on croise son chemin.

— Simple constat, mec, dit-il avec un accent caricatural.

— Comment ça s'est passé pour toi ? Pas de souci particulier ?

Gavin se laisse tomber dans le fauteuil placé derrière le bureau, pose son pied sur son genou et croise ses doigts derrière sa tête.

— Non. Deux balles par tête. Le message est clair.

J'acquiesce. Je ne sais pas quoi dire. Ce qu'il a fait pour moi, pour nous, pour Olivia, c'est plus que ce que j'aurais jamais osé lui demander. Pourtant, il s'est exécuté sans broncher. J'avais besoin de lui, et il a été là sans poser de question ni hésiter une seule seconde. Gavin est, à n'en pas douter, l'une des rares personnes sur cette planète en qui je peux avoir entièrement confiance et, depuis quelques heures, je ne vois pas comment je pourrais le considérer autrement que comme mon frère.

— Merci, Gav. Je ne sais pas comment te… Ce que tu as fait, je…

— Je sais, mec. Je sais, se contente-t-il de dire, avant de se racler la gorge et de changer de sujet. J'ai appelé la mère.

— Pardon ?

—Pas le choix : sa fille avait disparu, dans sa voiture en plus. Il fallait que je lui dise qu'Olivia était en danger. Sans ça, elle aurait refusé de me dire où elle était allée et dans quelle bagnole.

—Bordel de merde…, lâché-je en me passant une main sur le visage. Qu'est-ce qu'elle a dit ?

—Au début, je pense qu'elle n'y a pas cru. Cette bonne femme, faut se la farcir, Cash : elle est convaincue que tous les hommes sont des manipulateurs, et elle essaie de monter Olivia contre tous les types qu'elle ramène à la maison. En tout cas, c'est l'impression qu'elle m'a donnée.

—Qu'est-ce qui te dit que ce n'était pas juste toi qu'elle avait dans le collimateur ?

—Tu te fous de moi ? T'as vu ma gueule ? Les mamans m'adorent. Genre… elles m'adorent, si tu vois ce que je veux dire, précise-t-il avec un sourire pervers.

Je ne doute pas une seule seconde qu'il dit vrai. Je pense que, quelles que soient les préférences des femmes, elles s'accorderaient toutes à dire que c'est un beau mec. Ajoutez à ça son charme naturel et son accent, et c'est l'hécatombe. Grand bien lui fasse, d'ailleurs… tant qu'Olivia ne compte pas parmi les victimes.

—Tu lui as dit quoi, alors ?

—Qu'Olivia était en sécurité, mais que sa bagnole avait atterri dans un ravin pas loin du campus.

—Génial ! Avec ça, elle va filer droit chez les flics !

—Non, je lui ai bien fait comprendre que ce n'était pas dans son intérêt ; que ça attirerait sur elle l'attention des salauds qui avaient agressé sa fille. Tu peux me croire, ça l'a refroidie. C'est le genre de trucs qui lui parlent… Cette femme est probablement championne du monde d'égoïsme. Si je n'avais pas rendu le propos menaçant, je pense qu'elle ne m'aurait jamais écouté.

—Bon… Tant qu'elle ne fait pas de conneries…

—Faudra juste que tu lui remettes la pression de temps en temps. Que tu lui rappelles pourquoi les flics doivent rester en dehors de ça.

—Je ne lui rappellerai rien du tout. Pourquoi est-ce qu'il faudrait que je l'appelle pour remettre le couvert ? Ce que tu lui as dit devrait suffire, non ? Je ne la connais même pas !

—Pas besoin de l'appeler : elle va passer ce soir pour voir comment se porte Olivia. Elle règle quelques trucs par rapport à sa bagnole et elle arrive.

—Elle va venir ici ?

Ma voix anormalement suraiguë me choque moi-même. Gavin sourit.

—Tu viens de te prendre un coup dans les couilles ou quoi ?

—Pas encore, mais si ce qu'Olivia raconte à propos de sa mère est vrai, elle va probablement me les arracher sans sommation. Je n'ai pas ton chic avec les mères de famille…

—Vu le spécimen, ce n'est pas un mal qu'elle ne s'occupe pas de ce que tu as sous la ceinture. Cette femme est la reine des glaces : la majeure partie de ses ex ont dû crever d'hypothermie quand elle leur a touché la queue.

—Et cette charmante créature va venir ici…

Je n'avais jamais vraiment eu envie de rencontrer la mère d'Olivia, mais je m'étais toujours imaginé que si c'était le cas, ce serait dans des circonstances moins désastreuses.

—Quelle merde !

—T'as des nouvelles de Nash ?

—Non, mais je pense qu'il est…

—En train d'entrer dans le bureau, lance Nash en débarquant dans la pièce. Je vois que vous avez ramené la princesse en un seul morceau.

Je serre les dents et fais mine de ne pas avoir relevé sa pique. Je pensais que nous en étions arrivés à une sorte de trêve de bon augure, mais, visiblement, le cessez-le-feu n'a pas duré bien longtemps. Je me demande à quel moment de sa vie mon frère est devenu un sinistre connard…

— Tu as ramené Marissa saine et sauve à son père ?

— Ouep. Par contre, je ne te mentirai pas : elle va avoir du mal à s'en remettre. Elle a totalement déraillé.

— Comment ça ? Qu'est-ce qu'il s'est passé ?

— Elle n'a pas dit un mot de tout le voyage jusque chez son père, je pense qu'elle était dans les vapes sur la banquette arrière. Quand on est arrivés, je lui ai retiré le bandeau qu'elle avait sur les yeux et là, en me voyant, elle a complètement pété les plombs : elle s'est mise à pleurer et s'est jetée à mon cou. J'ai eu pitié d'elle, vraiment. Si tu veux mon avis, quand elle en aura fini d'avoir la frousse à s'en pisser dessus, elle maudira le jour où elle t'a rencontré.

Je serre les poings à m'en faire mal, mais, une fois de plus, je garde le contrôle.

— Son père était là ? Il a dit quelque chose ?

— Ouais, il était là, mais je ne lui ai pas vraiment laissé le temps de réagir. J'ai porté sa fille jusqu'à la porte – je comptais l'accompagner jusque dans sa piaule –, et il s'est pointé. Comme il y avait quelqu'un pour réceptionner le colis, j'ai filé.

— Ils n'ont rien dit ni l'un ni l'autre ?

— Quand je suis ressorti, j'ai entendu le paternel lui demander ce que c'était que tout ce bordel, mais je ne sais pas ce qui s'est dit après mon départ. J'ai fermé la porte et je me suis barré.

— Chacun sa façon de faire, hein ? dis-je, exaspéré.

J'ai été naïf de m'attendre à plus de tact de la part d'un enfoiré dans son genre.

— Bon, les gars, nous interrompt Gavin, c'est vraiment chouette de vous voir vous chamailler, mais j'ai besoin de pioncer un peu.

Il se lève, s'étire et fait rouler ses épaules.

— Je pense qu'un peu de repos ne fera de mal à personne, en effet, acquiescé-je.

— J'aurais bien dormi sur le canapé, mais y'en a pas, se moque Nash, alors je vais devoir reprendre ta caisse et me barrer à l'appart.

— Pas de problème. Prends tout le temps qu'il te faut là-bas ; fais comme chez toi.

Je préfère ça. Tant qu'il se barre et qu'il m'épargne son attitude insupportable, ça me va. Quand il est comme ça, Nash est un nid à emmerdes.

— Merci, frérot.

Son ton sarcastique ne trompe personne. Je ne sais pas ce qui lui est arrivé ces dernières heures pour lui démanger les miches comme ça, mais un truc m'échappe.

— Je reviendrai avant l'ouverture pour qu'on réfléchisse à la suite des événements, lance Gavin, avant d'ouvrir la porte de l'appartement.

— Super. Repose-toi bien, Gav. Et merci encore…

Gavin acquiesce, et je me tourne vers mon frère à contrecœur.

— Merci à toi aussi, Nash.

À mon grand étonnement, il ne se fend d'aucun commentaire foireux et se contente de m'adresser un hochement de tête.

Ce con doit être bipolaire ou je ne sais quoi : il a plus de sautes d'humeur qu'une femme enceinte !

Je les suis tous les deux et ferme la porte derrière eux. Lorsque j'entends s'éloigner le ronronnement de la BMW que j'ai prêtée à Nash, je repars en direction de la chambre. Là, je m'arrête dans l'encadrement de la porte pour observer Olivia. La voir qui se repose ainsi dans le calme, si tranquille, si vivante, me rassérène un peu. Enfin. Il me faut encore quelques minutes pour me rendre pleinement compte de ce qui s'est passé ces douze dernières heures. Mes muscles sont tout autant endoloris par la tension nerveuse que par les coups échangés avec les Russes. J'ai mal au crâne, mais je pense que c'est surtout dû au coup de tête que j'ai asséné au connard numéro trois. Qui plus est, les plaies causées par les deux balles qui ont fait mouche – même si les blessures restent superficielles – commencent à me lancer ; surtout celle qui m'a lacéré le flanc.

Olivia gémit dans son sommeil, réveillant la culpabilité qui somnolait dans ma poitrine. Je ressens autre chose, aussi ; un sentiment que j'ai du mal à identifier, et que je ne suis pas certain d'avoir envie d'accueillir à bras ouverts : il ressemble trop à un défaut d'armure, comme si Olivia était devenue mon point faible. Mon talon d'Achille. Les points faibles, ça vous rend vulnérable à la douleur et au chagrin, or, ces sept dernières années, j'en ai assez bouffé pour toute une vie. Je vais continuer à vivre avec Olivia, c'est sûr, mais je vais devoir préserver une distance de sécurité.

Je me retourne et me dirige vers la salle de bains. Je règle la douche à la température la plus élevée que je puisse supporter, me déshabille et avance sous le jet. Je laisse l'eau couler sur mon visage et mon torse. Quelques minutes plus tard, je me retourne pour que le jet me masse les épaules. Tout du long, je réfléchis à mille façons de ne pas trop m'attacher à Olivia.

Je pressens son arrivée plus que je l'entends. C'est comme si elle avait été dans ma tête et que, soudain, elle était apparue devant moi. Nue. Épuisée. Irrésistible.

Je commence à parler, mais elle pose un doigt sur mes lèvres pour me faire taire. D'un air absent, elle caresse ma lèvre inférieure du bout des doigts. Je vois sa bouche s'entrouvrir lorsque je me mets à les lécher. Son regard croise le mien, et elle pince légèrement le bout de ma langue. Lorsque je la mordille, ses yeux s'ouvrent un peu plus. Je reste tendre, mes dents la titillent juste assez pour qu'elle ressente mon désir jusqu'entre ses cuisses. Au regard qu'elle m'adresse, je comprends que c'est exactement ce qui vient de se passer.

Son gémissement parvient à mes oreilles malgré le bruit de la douche. Je sens qu'elle veut prendre le contrôle, mais je sais que je serai toujours aux commandes. Et c'est ce qu'elle aime. Ce qu'elle désire plus que tout.

Je libère son doigt, et elle le laisse glisser sur mon menton, le long de mon cou, puis jusque sur mon épaule gauche. Lorsqu'elle effleure la peau et la chair légèrement écorchées par la première balle, elle fronce les sourcils, puis se penche et embrasse ma blessure.

Elle se redresse et son regard s'attarde sur mon torse. Lorsqu'elle voit la plaie que la deuxième balle a laissée entre mes côtes, elle se renfrogne.

— Tu t'es fait tirer dessus deux fois en venant me sauver?

Je hausse les épaules.

— Ce n'est pas comme si je m'étais pris une balle en plein cœur.

Olivia ferme les yeux une seconde. Lorsqu'elle les rouvre, j'y lis la terreur déclenchée par mes paroles. Aussitôt, je n'ai plus qu'une envie: troquer sa peur contre un sentiment plus agréable.

— Tu n'y es pour rien, Olivia, la rassuré-je. Ma belle... *sont des mots qui vont très bien ensemble, très bien ensemble...*, ajouté-je en chantonnant.

Je la regarde et savoure l'instant où se lit dans ses yeux qu'elle vient de comprendre la référence. J'ai misé sur le fait qu'elle connaissait sûrement la chanson des Beatles: durant notre marathon de baise, chez son père, un jour que nous reprenions notre souffle, allongés au plumard, elle m'avait dit que son père était un fan de rock rétro; qu'elle avait grandi avec ce genre de musique dans les oreilles et avait toujours adoré ça...

Une chose de plus à ajouter à la liste des trucs que j'aime chez Olivia.

— Tu trouves que c'est la chanson qui me correspond le mieux? me demande-t-elle en esquissant un sourire.

Ma petite diversion a suffi à lui remonter un peu le moral.

— Oh non! La chanson qui te correspond le mieux, c'est *Sex Bomb*.

— Pfff, quel vil flatteur...

— Tu en doutes peut-être, Olivia, mais de mon point de vue, la comparaison est toute trouvée. Tu es une arme de destruction massive à toi toute seule. Si je te garde pour moi, c'est pour éviter que tu ne fasses plus de victimes. J'ai un sens profond du sacrifice…

— Oh, c'est pour ça ?

— Tout à fait.

Je tends une main vers sa lèvre inférieure si pulpeuse. Nous nous taisons quelques secondes, et je sens le poids de la situation retomber sur ses épaules : de nouveau, elle a l'air à bout. Lentement, je me déplace et me glisse derrière elle. Le dos contre mon torse, elle laisse le jet d'eau couler sans retenue le long de sa poitrine et de son ventre.

— Laisse-moi me sacrifier une fois de plus… Mais pour toi, cette fois.

Elle ne proteste pas.

27

OLIVIA

UNE SONNETTE RETENTIT ET ME TIRE D'UN SOMMEIL apaisant. Lorsque j'ouvre les yeux, je savoure la vision de Cash qui, nu, se lève, marche jusqu'à la salle de bains où il récupère son jean étendu sur le sol, avant de l'enfiler. Quand il revient dans la chambre pour se diriger vers la porte, il me voit qui l'observe et sourit.

— Tu as vu quelque chose qui te plaît?

Je souris à mon tour et agite mes sourcils. Sans un mot de plus, il contourne le lit, envoie voler les couvertures, et place une main dangereusement haut sur ma cuisse avant de prendre dans sa bouche la pointe d'un de mes seins. Je retiens ma respiration, prête à assouvir son moindre désir. Ses doigts ne sont qu'à quelques centimètres de là où je brûle qu'ils se posent… Il relève la tête et me décoche un sourire malicieux.

— Tu peux toujours réfléchir un peu à tout ça jusqu'à ce que je revienne, dit-il avant de déposer un léger baiser sur mes lèvres, puis de trottiner jusqu'à la porte du garage.

Je reste allongée là, aussi souriante que le chat d'*Alice au pays des merveilles*, quand j'entends la voix de Ginger.

— Elle est ici?

— Oui. Tu veux lui parler? lui répond Cash.

— Bien sûr que je veux lui parler. Tu crois que je me suis tapé quatre mille bornes juste pour te demander si elle était là? Remarque, j'aurais aussi pu passer juste pour te dire bonjour…

Je pouffe et secoue la tête : je vois exactement le sourire qu'elle doit arborer, tandis qu'elle joue les couguars avec Cash. Avant que ce dernier – abasourdi par la hardiesse de Ginger, je n'en doute pas – puisse répondre quoi que ce soit, elle reprend :

— Bon, elle est passée où, cette garce ? Elle a failli me filer un infarctus !

Je regarde l'horloge : 19 heures. Pas étonnant qu'elle ait paniqué. J'ai dû dormir plus que je ne pensais.

Je remonte les couvertures sur ma poitrine et m'assieds à l'instant même où Ginger débarque dans la chambre.

— Te voilà, toi ! lance-t-elle en levant les bras au plafond. Et comme je m'en doutais, je m'inquiétais à m'en friper les miches, pendant que tu étais là à te taper des orgasmes à répétition grâce au divin pénis d'Apollon !

— Désolée, Ginger. Je ne voulais pas t'inquiéter. C'est à cause de ce téléphone à la con que j'utilise en ce moment : il est tombé en rade pendant qu'on discutait. J'ai hâte de récupérer le mien.

— C'est crédible, mais je ne marche pas. Cela dit, je mentirais aussi si ce type-là m'attendait à la maison, lâche-t-elle en souriant, tandis qu'elle s'installe sur le lit à côté de moi. Allez, sans rancune. Je suis contente de savoir que ton minou s'est trouvé une queue de premier choix.

Ginger se penche vers moi et me murmure à l'oreille :

— On est bien d'accord, non ? Il a une queue de premier choix…

Je me contente de sourire. Elle se redresse et se racle la gorge.

— Je n'en attendais pas moins ! Dieu n'aurait jamais pu foirer le moindre détail en sculptant une statue pareille, lance-t-elle en agitant son pouce en direction de Cash.

Cash attend dans l'encadrement de la porte. De toute évidence, il n'a qu'une envie : que Ginger taille la route.

— J'admets qu'il n'a pas foiré le moindre détail !

— Arrête de me chauffer comme ça, espèce de petite garce! Où se planque l'autre? Ils sont jumeaux : il doit être aussi parfait que celui-ci. Et moins maqué.

Ginger me sourit, et je lève les yeux au ciel tandis que la porte du garage s'ouvre. Cash se retourne, et j'entends une autre voix.

— J'espère que je dérange, balance Nash, toujours aussi délicat en entrant dans la chambre. T'as tiré le gros lot, Cash, ajoute-t-il en me reluquant. J'aime les femmes qui n'ont pas peur de se montrer.

Quand on parle du loup...

Amusée par son arrivée inopinée au plus bel instant, je sens un rire monter dans ma gorge, et fais mon possible pour le retenir. Avant que quiconque ait pu répondre quoi que ce soit à Nash, Ginger se retourne vers moi.

— Jésus, Marie, Joseph! Ce sont des triplés?

Ginger se tourne de nouveau vers Nash. Mon regard croise celui de Cash et nous explosons de rire tous les deux.

— Quoi? me demande Ginger en se retournant vers moi, renfrognée. Tu m'as volontairement caché leur existence? Espèce de petite garce! dit-elle en se jetant à mon cou, soudain rayonnante. Jamais je n'aurais pensé que tu étais du genre à faire des plans à quatre! Avec des triplés, en plus!

Elle me regarde avec un sourire de mère comblée.

— Je te remets officiellement tes griffes. Pas des griffes de couguar, bien sûr : tu es bien trop jeune pour ça; mais des griffes d'honneur, disons, pour être la seule chatte dans une maison pleine de matous. Je suis si fière de toi..., conclut-elle sur un ton d'une solennité théâtrale.

Taquine, elle me décoche un petit clin d'œil par-dessus ses ongles vernis.

— Tu es vraiment incorrigible, bordel...

Elle baisse aussitôt les mains et met fin à sa prestation mélodramatique.

—Je sais, mais c'est pour ça que tu m'aimes, rétorque-t-elle en se relevant, puis en tirant sur sa minijupe. Messieurs, j'aurais été ravie de me joindre à votre petite sauterie, mais le lit est déjà surpeuplé. Et puis, je ne voudrais éclipser personne avec mon talent au plumard. Peut-être une prochaine fois !

Avec son déhanché inimitable, Ginger quitte la pièce sans omettre, sur son passage, de donner une petite tape sur les fesses de Cash. Une fois dehors, elle se retourne vers lui et lui adresse un petit clin d'œil.

—C'était qui, cette malade ? demande Nash.

—Je préfère ne pas le savoir…, répond Cash.

—Je vous entends encore ! lance Ginger depuis le garage, sa voix résonnant jusqu'à nous.

Je l'entends marmonner quelque chose d'inintelligible, puis capte une autre voix venant de l'autre côté de l'appartement, à l'entrée du bureau.

—Y a quelqu'un ?

Marissa.

Merde !

Elle frappe discrètement à la porte. On dirait presque qu'elle l'effleure avec ses phalanges. Je me tourne vers Cash, et il soupire bruyamment, les lèvres serrées.

—Merde ! grommelle-t-il. Personne vous a appris à appeler, avant de débarquer chez les gens ! s'exclame-t-il d'un ton exaspéré.

—Je suis désolée, répond Marissa. Je voulais juste le voir.

Je suppose qu'elle parle de Nash, vu qu'il est le seul autre mec dans l'appartement.

—Ah ? lâche Cash. Eh bien, entre, je t'en prie ! Je vous laisse le bureau : vous devriez avoir un minimum d'intimité, là-dedans.

Cash essaie de pousser Nash pour fermer la porte de l'appartement, mais Marissa débarque avant lui et jette un coup d'œil dans la chambre… où je me trouve toujours, au lit, dévêtue à l'exception du drap froissé que je maintiens au-dessus de ma poitrine.

Dès qu'elle me voit, elle fronce les sourcils, passe à côté de Cash sans lui prêter la moindre attention, se lance en direction du lit, puis se jette à mon cou. Le moins que l'on puisse dire, c'est que je suis surprise, à tel point que, tandis que j'essaie de rester couverte, je me demande ce qui se passe.

Cette chambre est bien trop fréquentée pour une femme nue!

—Je suis tellement contente que tu n'aies rien…, murmure-t-elle contre mon cou.

Je sens son corps trembler contre le mien, et il me faut un moment pour comprendre qu'elle sanglote.

—Que se passe-t-il, Marissa? lui demandé-je, plus par curiosité que par réelle compassion.

Ma cousine a joué la princesse nombriliste depuis sa naissance, et tout amour familial entre nous a volé en éclats six mois après cette date.

Elle se redresse et pose sur moi son regard bleu azur. Ce qui me sidère, c'est la sincérité que je lis dans ses grands yeux pleins de larmes.

—J'ai eu tellement peur pour toi. Ils n'arrêtaient pas de dire qu'ils allaient nous tuer, toi et moi. Nous tuer tous! lâche-t-elle en se tournant vers Nash, qui se tient sans rien dire près de la porte. Jamais de ma vie je n'avais eu aussi peur, et tout ce que j'arrivais à faire, c'était me maudire de t'avoir envoyée à cette foutue exposition avec cette saleté de robe!

Je suis stupéfaite. Et totalement suspicieuse, je l'avoue sans mentir: cette fille que j'ai souvent rêvé de scalper, d'incendier ou de teinter en violet de la tête aux pieds est soudain devenue… prévenante à mon égard? Altruiste? Je suis désolée, mais… allô, quoi?

—Je sais, tu dois penser que je suis devenue dingue ou que je joue la comédie, mais je te jure, Liv, je n'arrivais pas à penser à quoi que ce soit d'autre qu'à toi, me jure-t-elle, les lèvres tremblantes et le visage baigné de larmes. Tu as toujours été adorable avec moi, alors que je t'ai traitée comme une moins que rien. Je suis tellement désolée… Toute ma vie, j'ai été entourée de gens comme moi ; de gens qui n'en auraient probablement rien eu à foutre que je disparaisse, mon père le premier. Ce dont j'aurais vraiment eu besoin, c'est de gens comme toi.

Elle marque une pause et déglutit.

—Je ne veux plus être celle que j'étais, Liv. Tu crois que tu peux me pardonner ?

C'est pas vrai… Marissa a dû faire un AVC, je ne vois pas d'autre explication…

J'ai beau réfléchir, je ne vois aucune autre explication à cet accès de bienveillance. Aucune. Pas la moindre. Rien. *Nada*. Les personnes comme Marissa n'ont jamais de cas de conscience. Les personnes comme Marissa ne laissent jamais parler leur cœur. D'ailleurs, les personnes comme Marissa n'ont pas de cœur, c'est aussi simple que ça…

Pourtant, quand je regarde dans ses yeux, je suis de nouveau frappée par sa sincérité. Elle a bel et bien l'air dévastée. Elle semble vouloir se repentir.

—J'ai connu pire, Marissa, ne t'en fais pas pour ça. Tu sais quoi ? Tu devrais rentrer chez toi et te reposer un peu. Ça te fera du bien.

—Non. Le repos attendra. J'ai besoin de savoir que tu me pardonnes. Ensuite, j'aurais besoin de lui parler, à lui, dit-elle en lançant un regard vers Nash par-dessus son épaule.

Je ne me rappelle pas qu'elle ait adressé le moindre regard à Cash depuis son arrivée.

Je me demande ce qu'elle pense de tout ça… Ce qu'elle sait.

—Où est ma fille ?

Lorsque j'entends cette voix, mon cœur tressaille. Je lance un regard à Cash. Il a beau être de l'autre côté de la pièce, je remarque sans mal qu'il se raidit.

Mon instinct me dicte de me cacher sous le drap, mais, bien sûr, je lutte et tire aussitôt un trait sur cette option : le mieux que je puisse faire est de rester assise là sans broncher et d'affronter l'orage comme une femme. Une femme assez grande pour faire ses propres choix.

Ma mère fait irruption dans la pièce et dévisage Cash, puis Nash. Si j'avais des testicules, je pense que ce regard m'aurait castrée aussi sec. D'ailleurs, j'en ressens presque une douleur fantôme entre les cuisses.

Nash se décale d'un pas sur le côté pour lui laisser plus d'espace. Sans bouger d'un poil, Cash lui tend la main.

— Cash Davenport. Vous devez être la mère d'Olivia.

— Ah? Et comment pourriez-vous le savoir? Je doute qu'elle vous ait dit quoi que ce soit à mon sujet. Dans le cas contraire, vous ne l'auriez jamais embarquée dans une histoire si dangereuse.

— Je connais assez votre fille pour pouvoir reconnaître sa mère. Quoi qu'il en soit, vous devez être une bonne personne pour avoir élevé une fille aussi mature.

— Si elle était mature, elle ne serait pas dans cette situation.

— Elle se retrouve dans cette situation parce qu'elle est altruiste et m'a tendu la main quand j'ai eu besoin d'elle. Si elle est ici aujourd'hui, c'est aussi parce que j'essaie de la protéger.

— Le moins qu'on puisse dire, c'est qu'en matière de protection, vous n'avez pas fait vos preuves jusqu'à présent, lâche ma mère en passant devant lui d'une démarche hautaine.

Elle se dirige droit sur moi.

Je vois Cash serrer les dents juste avant que mon menton ne se retrouve dans la paume de ma mère. Elle examine mon visage.

— Tu es blessée?

— Non, maman, je vais bien. Cash et Gavin sont venus me chercher et ont pris soin de moi.

— Cash, Gavin, Gabe, tes déchets portent bien leur nom. Je pensais que quitter Salt Springs t'apprendrait à faire le tri, mais visiblement, tu dois faire partie de ces filles qui ne se laissent séduire que par des minables.

—Maman, je n'ai p…

—Je vois que la maman d'Olivia est arrivée!

Je regarde par-dessus l'épaule de ma mère: Gavin se tient dans l'encadrement de la porte.

Le fait qu'il soit, comme tous les autres, habillé normalement, me donne l'impression que je suis en toge en plein milieu d'un enterrement.

—Et vous! C'est vous qui l'avez embringuée dans cette folie! Si vous l'aviez simplement conduite à l'école comme elle vous l'avait demandé…

Gavin baisse la tête. Il sait qu'elle a raison.

—Ne lui en veux pas pour ça, maman. Il pensait que c'était mieux pour moi de rester avec lui et il avait raison. Après tout, c'est sur le campus que je me suis fait attaquer.

Ma mère se tourne et pose ses yeux de glace sur moi.

—Tu n'as donc aucun ego? Aucune estime de toi? Tu laisses ces hommes te dicter ta conduite et te causer des emmerdes sans précédent. Tu n'en as pas marre de te prostituer pour la racaille?

—Assez! hurle Cash, debout derrière elle. Vous n'avez pas le droit de lui parler de cette façon!

—Que si! La seule personne à dépasser les bornes ici, c'est vous. Je suppose que c'est votre lit qu'elle partage? C'est vous qui profitez d'elle tous les jours? Allons bon, vous n'avez même pas assez de respect pour elle pour l'épouser. Vous vous servez d'elle comme d'une traînée récupérée dans le caniveau.

—Je ne me sers pas de votre fille. Et je…

Ma mère fait taire Cash d'un geste de la main.

—Vos excuses ne m'intéressent pas. Je suis ici pour récupérer ma fille et l'arracher à votre avenir commun. Aussi, je vous demanderai de ne plus jamais vous approcher ni d'elle ni de moi.

Elle se retourne vers moi, le front haut.

—Maintenant, habille-toi. Tu rentres avec moi.

—Non, maman. Je reste ici. Je n'ai plus douze ans ; je mérite d'être traitée en adulte.

—Tant que tu continueras à te comporter ainsi, je te traiterai de cette façon.

—À me comporter comment ? J'ai commis des erreurs, pris de mauvaises décisions, très bien : c'est si terrible que ça ? Si anormal ? Toi aussi, tu as fait des erreurs, et regarde-toi ! Une chose est sûre, si c'est pour qu'ils me mènent à devenir une femme froide, triste et seule, je suis bien contente de ne pas marcher dans tes pas.

—Je ne suis ni froide, ni triste, ni seule, Olivia.

—Si. C'est juste que tu ne t'en rends pas compte. Tu as choisi le type idéal prêt à te donner la maison idéale, la voiture idéale et la vie idéale, mais tu es la femme la plus désespérée que je connaisse. Tu aimais papa, mais pour je ne sais quelle raison, tu t'es mis en tête qu'il n'était pas assez bon pour toi ; qu'une vie à la ferme n'était pas assez bien pour toi. Tu sais quoi ? Je n'ai pas les mêmes valeurs que toi : je préfère une vie pleine d'amour et de bonheur à tout l'or du monde !

—Ce que je respecte tout à fait, mais si tu penses qu'un type comme lui, dit-elle en désignant Cash, pourra t'offrir quoi que ce soit de plus qu'un cœur brisé, tu te fourvoies, Olivia.

—Ce type, comme tu dis, a risqué sa vie pour sauver la mienne, maman !

—C'est à cause de ce type, Olivia, que tu étais en danger.

—Non, si j'étais en danger, c'est à cause de moi et de moi seule. Je connaissais les risques : j'ai voulu l'aider en connaissance de cause.

—Mais qu'est-ce qui a pu te pousser à faire quelque chose d'aussi stupide ?

—La possibilité de sauver une vie, maman…

—Celle de quelqu'un que tu connais à peine, je me trompe ?

Je marque une pause.

—Mais, je…

— Il n'y a pas de « mais », Olivia. Encore une fois, ta décision prouve que tu es incapable de prendre soin de toi. Et c'est exactement pour cela que tu vas me suivre.

— J'ai agi par amour, maman. C'est pour Cash que j'ai fait ça, parce que je l'aime : c'était important pour lui, alors ça l'était aussi pour moi. Qu'est-ce que tu ne comprends pas ?

— Oh, mais je comprends très bien : une fois de plus, tu as choisi un sale type qui te condamnera à une vie de souffrance, puis te jettera à l'égout dès qu'il aura trouvé une autre distraction. C'est un minable, comme t…

— Maman, arrête ! hurlé-je si fort qu'elle eut un mouvement de recul, comme si je l'avais giflée. Ce n'est pas parce que certains hommes s'habillent ou se comportent de la même manière qu'ils sont tous les mêmes. Toute ma vie tu as essayé de me pousser dans les bras d'hommes que tu estimais parfaits pour moi, mais c'était ta vision de la perfection. Tu m'as toujours laissée croire que si j'étais attirée par un type qui roulait en moto, conduisait une bagnole tape-à-l'œil ou jouait dans un groupe, quelque chose n'allait pas chez moi ! La vérité, maman, c'est que ces types n'avaient rien de fondamentalement mauvais : ils n'étaient pas pour moi, c'est tout.

» Maintenant, je sais que je n'aurais pas voulu terminer ma vie avec l'un d'eux ; il m'a juste fallu du temps pour savoir ce que je voulais. Mais ça, tu ne sembles pas le comprendre. Pour tout dire, tu n'as jamais rien compris à ma vie : jamais tu n'as été de ces mères qui prennent leur fille dans leurs bras quand elle pleure, en lui disant qu'un jour, elle finira par trouver l'homme idéal ; qu'un jour, cela vaudrait le coup d'avoir cru en l'amour. C'était au-delà de tes forces. La seule chose pour laquelle tu as daigné investir un minimum d'énergie, c'était me convaincre que ma seule chance d'être heureuse un jour était de finir avec un type comme Lyle ; un type à ce point focalisé sur son travail et son argent qu'il n'a pas de place pour l'amour dans sa vie.

» Je vais te dire une chose, maman : même si tomber amoureuse, c'est risquer de finir blessée, ça me va. Je pense que sans Cash, ma vie aurait été fade. T'est-il seulement venu à l'esprit que toutes ces déceptions amoureuses, toutes ces larmes, toutes ces tentatives échouées m'avaient offert la clairvoyance nécessaire pour qu'un jour, celui où je croiserais le véritable amour, je ne laisse pas passer ? Est-ce que tu ne peux pas te réjouir pour moi et nous foutre la paix ?

Un silence de mort s'abat soudain sur la pièce. Ma mère me regarde comme si j'avais dépecé son lapin sous ses yeux pour m'en faire un chapeau. Marissa semble inquiète, Nash a l'air de s'ennuyer ferme ; Gavin sourit, et Cash s'avance vers moi.

Le regard rivé dans le mien, il marche jusqu'à l'endroit où se tient ma mère et s'arrête. Il reste immobile plusieurs secondes sans me quitter des yeux, jusqu'à ce que ses lèvres esquissent un sourire satisfait. L'air radieux, il se penche vers moi. J'ai l'impression qu'il va éclater de rire, mais il se retient et prend mon visage entre ses mains.

Et puis, il m'embrasse. Autant le dire, ce n'est pas un baiser discret, loin de là ! C'est plutôt le genre de baiser dont personne ne devrait être témoin, encore moins lorsque je ne porte qu'un drap pour me couvrir.

— J'adore quand tu t'enflammes, me dit-il, après avoir détaché ses lèvres des miennes.

Ses yeux sont comme deux onyx étincelants. Avec une infinie tendresse, il passe son pouce sur mes pommettes, se remet à sourire, et son visage radieux illumine bientôt le mien, le réchauffe et l'apaise. Lentement, de façon presque provocante, il prend ma main et mêle ses doigts aux miens, avant de se redresser et de se tourner vers ma mère.

— Olivia va rester ici, madame. Comme vous êtes sa mère, lorsque vous voudrez venir la voir, vous serez toujours la bienvenue. Cependant, pour l'heure, je pense qu'il serait plus sage que vous rentriez chez vous. Quoi qu'il en soit, je vous fais la promesse de bien m'occuper d'elle. Ma parole ne signifie peut-être rien à vos yeux, mais, moi, je sais ce qu'elle vaut. Et votre fille aussi.

Les yeux de ma mère passent de Cash à moi, puis elle se retourne enfin et foudroie du regard les témoins de la scène. Un sourire pincé sur les lèvres, elle m'adresse la parole une dernière fois avant de quitter la pièce.

— Très bien. Si c'est ce que tu veux, Olivia, gâche ta vie avec lui. Seulement, ne viens pas pleurer dans mes bras lorsque l'illusion – aussi douce soit-elle – se dissipera.

— Je t'aime, maman, mais ça fait des années que j'ai arrêté d'espérer que tu me prennes un jour dans tes bras. J'ai compris qu'il valait mieux me contenter de la déception.

Elle acquiesce, arrogante, puis quitte la pièce d'un pas lent, ne laissant dans son sillage que quelques notes de son parfum hors de prix, une impression de froideur… et de soulagement.

Pendant de longues secondes, personne ne dit rien. Gavin est le premier à se manifester.

— La vache, cette femme est la reine des garces : mes couilles commencent seulement à redescendre.

Nous échangeons un regard avant d'éclater de rire, Marissa la première. C'est elle que je regarde le plus. Apparemment, elle semble avoir du mal à quitter Nash des yeux. Je suis peut-être dure, mais j'ai du mal à croire qu'elle ait pu changer ; que cette nouvelle Marissa restera avec nous pour toujours sans que la princesse démoniaque ne revienne prendre sa place dans sa tête à grand renfort de caprices et d'accès de majesté. Je préfère cette cousine-là, mais j'ignore combien de temps ses bonnes résolutions vont durer.

La sonnerie d'un portable nous renvoie tous au réel. Il vient de la commode de Cash. Il lâche ma main, file récupérer son téléphone – le vrai, pas l'un des jetables qu'il nous avait achetés – et regarde l'écran. Lorsqu'il décroche, son air soucieux ne présage rien de bon. Le fait qu'il quitte la pièce pour se rendre dans son bureau ne me rassure pas, d'autant plus qu'il referme la porte derrière lui. Soudain, l'angoisse s'abat sur moi.

L'espace de quelques minutes, j'avais oublié la terrible menace qui pesait sur nous tous.

28

CASH

LORSQUE JE DÉCROCHE ET QUE J'ENTENDS : «L'ANNONCE, c'est toi?», je sais aussitôt qu'il s'agit du deuxième as que mon père a sorti de sa manche ; si on part du principe que Nash était le premier. Le fait est que celui-ci s'avérera peut-être plus utile encore que le précédent. Je n'en sais rien, mais rien ne m'empêche d'espérer...

Sitôt que j'ai refermé la porte du bureau, je réponds :

— Oui, c'est moi.

— Change de téléphone. Prends la route ce soir à 21 heures. Rappelle ce numéro six minutes plus tard : je te donnerai de nouvelles instructions.

Le type raccroche, me laissant seul et totalement désarçonné. J'aurais aimé pouvoir lui poser une ou deux questions. Bien sûr, mieux vaut ne pas trop en dire sur ma ligne personnelle ; cela ne m'empêche pas d'être exaspéré : la suite des événements m'échappe totalement.

C'est alors que mon esprit bascule en mode stratégique. Pour autant, ma principale préoccupation n'est pas d'assurer ma sécurité, ce soir, mais de savoir quoi faire d'Olivia en mon absence, trouver un moyen de la mettre à l'abri.

Gavin est un type incroyable et il a fait de son mieux, mais son dernier faux pas ne m'incite pas à laisser à un autre le soin d'assurer sa protection. Je passe en revue les choix qui s'offrent à moi, et me rends vite compte qu'à part l'emmener – ce que je me refuse à faire au vu de la dangerosité potentielle de ma sortie de ce soir –, l'endroit où elle serait le plus en sécurité serait l'*Hypnos Club*. Planquée derrière le bar à servir des centaines de témoins, il ne peut rien lui arriver.

Le souci, désormais, va être de l'annoncer à Olivia sans passer pour le dernier des fils de pute. Je veux dire, comment amener un truc pareil ?

« Je sais, ma famille et moi, on a foutu la merde dans ta vie, ton appartement a été mis à sac, tu as été kidnappée et droguée, tu t'es mangé ta garce de cousine et la reine des neiges sur le coin de la gueule, mais ça ne te dérangerait pas de bosser dans mon bar ce soir ? »

Hors de question.

Je retourne dans la chambre et fais ce que j'aurais dû faire lorsque ma porte d'entrée a sonné tout à l'heure.

— OK, tout le monde, ouste ! Il faut que je parle à Olivia. Elle a besoin de s'habiller.

Personne ne proteste, bien entendu. D'ailleurs, Gavin semble même un peu honteux d'avoir été si impoli en restant ici. Ce n'était franchement pas très délicat de notre part de la laisser dans une posture aussi embarrassante. Il n'y a qu'Olivia pour rester détendue et digne au milieu de tous ces gens, alors qu'elle parle de sujets graves avec un drap pour seul vêtement. Sous ses allures de Belle, madame a une sacrée stature. J'espère qu'elle en est consciente, après le bordel d'aujourd'hui et la façon dont elle l'a géré.

— Merci pour ça, me dit-elle dès que Gavin a refermé la porte derrière le trio d'intrus.

— Désolé de ne pas avoir dégainé plus tôt…

— On ne peut pas dire que tu en aies vraiment eu l'opportunité. On aurait dit une piste de cirque ici ! Il ne manquait plus qu'une femme à barbe et un avaleur de sabres… Même si Ginger doit bien être capable d'avaler des trucs au moins aussi longs.

Elle pouffe toute seule, et son rire me donne envie de la prendre dans mes bras. Pourquoi? Je n'en sais rien, mais ce n'en est pas moins vrai.

—Toujours est-il qu'en tant que M. Loyal de cette parade clownesque, je te présente les excuses de la compagnie entière pour t'avoir mise mal à l'aise.

Une grande douceur envahit son regard, puis son visage entier. Ses yeux verts me transpercent tels des traits guérisseurs. Soudain, elle laisse le drap glisser sur sa poitrine, puis sort du lit, plus gracile que jamais. À pas lents, elle s'avance vers moi, nue comme au premier jour, mais mille fois plus belle.

Elle ne s'arrête que lorsque le bout de ses seins caresse mon torse.

—Tu ne m'as pas mise mal à l'aise. Jamais. Ce que tu as fait, c'est me redonner vie. Je ne veux jamais que tu t'en excuses.

—Mais, j'…

—Chuuut…, susurre-t-elle en posant un doigt sur ma bouche, l'un de ses gestes favoris. C'est fini. S'il te plaît.

J'acquiesce et redouble d'efforts pour contrôler les réactions de mon corps, beaucoup trop proche du sien. Il va falloir que j'apprenne à me maîtriser quand je suis avec elle ; à penser à autre chose qu'arracher ses vêtements avec les dents et lui faire l'amour jusqu'à manquer d'oxygène.

Je me racle la gorge et me focalise sur la raison qui m'amène ici.

—Le coup de fil…

Son visage se teinte aussitôt d'inquiétude.

—Oui… C'était quoi?

—C'était à propos de la deuxième annonce que j'ai passée. Ce soir, je dois aller retrouver le type qui m'a appelé. Le truc, c'est que j'ai beau être incapable de me dire que je vais te laisser ici, je trouve tout aussi dangereux de t'emmener avec moi. Plus dangereux, même. Du coup, j'ai peur de ne pas vraiment avoir le choix…

—Ne t'inquiète pas pour moi, me rassure-t-elle d'une voix douce. Ça va aller.

—Bien sûr que je m'inquiète pour toi… Cela dit, je crois que j'ai trouvé un moyen d'assurer ta sécurité. Si tu es d'accord, bien entendu.

—Je t'écoute…

Elle me regarde de travers et, j'ignore pourquoi, son visage perplexe m'amuse.

—Ne t'en fais pas, je ne vais pas te demander de te cloîtrer dans un endroit improbable si c'est ce qui t'inquiète.

L'expression de son visage me laisse comprendre que c'est exactement ce qui l'inquiétait.

—Pour tout dire, continué-je, j'aimerais te demander de faire quelque chose dont tu as l'habitude…

—À savoir? finit-elle par dire, voyant que je traîne pour terminer ma phrase.

—Que dirais-tu de bosser au club, ce soir? Sincèrement, je ne vois pas d'endroit où tu pourrais te retrouver plus en sécurité que derrière un bar sous les yeux de centaines de personnes.

—Oh, aucun problème. Pourquoi tu ne me l'as pas dit tout de suite? Tu m'as fait peur…

—Parce que je ne voulais pas passer pour un trou du cul insensible: tu as eu une journée plutôt merdique, c'est le moins qu'on puisse dire, et…

—Tout n'a pas été merdique, dit-elle en me lançant un regard brûlant sous ses longs cils soyeux.

Il n'en faut pas plus pour me renvoyer à la case départ, à savoir me contrôler pour ne pas l'imaginer en train de me chevaucher comme un pur-sang arabe.

—OK. Disons: pas mal de trucs, alors. Mais, bref! J'ai l'impression d'être un enfoiré d'égoïste en te demandant de bosser ce soir, et je n'ai aucune envie que tu penses que…

—Tu n'es ni un enfoiré, ni un égoïste. Tu as entendu ce que j'ai dit à ma mère?

—Oui, mais…

—Pas de «mais»… Je t'aime, Cash.

Comme le crétin que je suis – crétinerie que j'attribue essentiellement au fait de posséder une lourde paire de testicules –, je me fige et reste silencieux : je ne lui dis rien de ce que je ressens, rien de tout ce que je devrais lui dire. Je me contente de la regarder. Comme un bon vieux trou du cul.

La déception se lit sur son visage, et je me maudis en la voyant lutter pour garder une contenance. Mais elle y parvient. Au bout de quelques secondes, elle sourit, même si son cœur ne doit avoir comme seule envie que de se vider de ses larmes.

—Et puis, je pense que ça me fera du bien, de bosser. Ça m'aidera à penser à autre chose.

—Tu es sûre ?

—Certaine, m'assure-t-elle d'une voix presque enjouée, la bonne humeur de ses traits dissimulant une tristesse aussi discrète que profonde. Je file prendre une douche… une vraie, cette fois, me taquine-t-elle, s'efforçant de garder le sourire.

Elle se dresse sur ses doigts de pieds et dépose un baiser délicat sur mes lèvres.

—Tu remercieras Gavin de m'avoir rapporté mon sac.

—Il t'a rapporté tes affaires ?

—Je suppose : je l'ai aperçu dans un coin à l'instant.

—Hmm, OK, je lui fais passer le message.

—Merci, dit-elle en souriant, avant de me contourner et de se rendre dans la salle de bains.

Moi, je reste planté là, immobile, à la regarder partir en me maudissant d'être le dernier des salauds.

—Tu ne te barres pas sans moi ! aboie Nash, catégorique.

—Ni moi, lance Gavin, qui rentre dans l'arène.

—Eh ! Quelqu'un va devoir rester ici avec Olivia et, en toute logique, ce ne sera pas moi !

—Dans ce cas, ce sera Gavin : hors de question que je reste ici à me faire cuisiner par une avocate. Je ne vois pas pourquoi je devrais répondre aux questions que Marissa crève d'envie de te poser, grince Nash.

Cela n'a pas été facile de demander à Marissa de revenir au club plus tard dans la soirée. Je lui ai promis qu'elle pourrait parler à Nash toute la nuit si elle en avait envie, mais qu'elle n'était pas arrivée au meilleur moment. Elle est partie, mais pleine d'une certaine rancune. Cela dit, je sais qu'elle sera devant la porte sitôt qu'on ouvrira l'*Hypnos*. De toute évidence, Nash pense exactement la même chose ; c'est un type plutôt perspicace et empathique : il a suffi qu'il côtoie Marissa vingt minutes pour comprendre qu'elle était aussi tenace qu'un pitbull. C'est d'ailleurs l'une des raisons pour lesquelles elle est si bonne avocate.

L'espace de quelques secondes, j'envisage de le laisser m'accompagner. J'ai pleinement conscience des risques encourus – que l'homme mystère nous fiche chacun une balle dans le crâne, par exemple –, et je me dis qu'un peu de renfort ne nuirait pas au résultat.

—Très bien : Nash et moi allons ensemble au rendez-vous. Gavin, tu restes ici pour surveiller Olivia.

Je lis sur son visage que l'idée lui déplaît, mais il le fera. Il acquiesce, vexé.

—Eh…, l'interpellé-je, tu sais que je serais incapable de confier Olivia à qui que ce soit d'autre que toi. Et puis, tu en as déjà trop fait pour nous…

Ma reconnaissance le rassérène quelque peu. Il faut savoir composer avec l'ego des hommes…

—T'en fais pas, mec. Il ne lui arrivera rien.

—En espérant que tu t'en sortes mieux cette fois que la dernière, lance Nash, venimeux.

Gavin lui répond par un sourire glacial. Nash ne le connaît pas assez pour savoir qu'il joue un jeu dangereux : Gavin peut sourire de cette façon à un type tout en lui pointant un flingue sur la tempe. Mon père me parlait souvent de la personnalité de Gavin : « C'est un iceberg », disait-il de lui. À part ça, Gavin est un type bien. En tout. Un type bienveillant. C'est juste un gentil qui n'hésitera pas à vous refroidir si vous le faites chier ou chercher des noises à ses amis et sa famille. Point final.

— Si je peux te donner un conseil, Nash…, dis-je en me tournant vers mon frère, mon regard aussi sérieux que possible. Ne le fais pas chier. Tu ferais mieux de ne pas prendre ce risque.

Nash acquiesce sans broncher, lançant un dernier regard en coin à Gavin, toujours souriant.

— OK, donc c'est décidé : Nash et moi, on se pointe au rencard, tu restes ici avec Olivia. Je serai de retour aussi vite que possible.

— Tu peux partir tranquille.

Nash et moi décidons de nous séparer pour plus de sécurité. Nous ne connaissons pas toutes les variables de l'équation, et j'ai du mal à ne pas douter de… de tout le monde, en fait. Une chose est sûre ou presque : le type que nous allons rencontrer est un criminel ; or, si je sais quelque chose à propos des criminels, c'est qu'ils sont imprévisibles. Si celui-ci a l'intention de nous faire un coup foireux, j'aime autant avoir un plan B.

Avant notre départ, j'ai enregistré le numéro du type dans l'un de mes téléphones jetables. J'ai pris la voiture histoire de mieux l'entendre lors de l'appel à venir, et Nash me suit sur ma bécane.

Après quelques minutes sur la route, comme prévu, je compose le numéro.

Mon contact répond à la première sonnerie.

— Rendez-vous au chantier naval de la compagnie de transport Ronin dans vingt minutes.

Il raccroche. Encore.

Bordel, il va me rendre dingue !

Je serre les dents et laisse couler : je n'ai pas vraiment le choix. Je garde un œil sur la route, tandis que je paramètre ma nouvelle destination dans mon G.P.S. Mon copilote informatique m'annonce que je dois retourner en direction du club, puis le dépasser, aussi, je fais demi-tour à la première occasion. Nash est sur mes talons.

Un peu moins de vingt minutes plus tard, j'arrête ma voiture près de l'entrée grillagée de ce qui m'apparaît comme un gigantesque cimetière de navires de commerce. Leurs silhouettes immenses s'étirent dans le brouillard comme autant de fantômes sinistres.

J'observe l'entrée, puis la clôture élevée qui ceint l'endroit, me demandant comment on va bien pouvoir entrer, mais, avant même que j'aie pu sortir de la voiture pour interpeller Nash, la porte d'entrée se déverrouille dans un bruit métallique, avant de coulisser lentement vers la gauche.

Je baisse la vitre de ma portière : les sens en alerte, je guette le moindre bruit, le moindre mouvement, tandis que je pénètre à l'intérieur du périmètre sécurisé. Le brouillard ne fait qu'accentuer mon inquiétude. Si mes phares parviennent à le transpercer légèrement, ils ne me donnent pas plus de quelques mètres de visibilité. Ajoutée à cela la sensation de claustrophobie provoquée par les titans de métal de chaque côté de la voiture, le tableau est véritablement flippant.

Une silhouette se dessine au milieu de la route, et je malmène les freins pour m'arrêter. Le moins que l'on puisse dire, c'est que le type planté là colle parfaitement au décor nocturne et inquiétant. Il porte un vieil imperméable noir et un chapeau de marin – noir lui aussi. Il ne lui manque plus qu'un crochet au poignet. Ou une armée des morts, au choix…

Je m'arrête et attends de voir ce qu'il va faire. Il nous invite à le suivre d'un geste : heureusement, c'est bien une main qu'il agite et non un morceau de métal incurvé. Je le suis. Derrière moi, je vois la lumière du phare de ma moto. Nash me colle de près.

Bien vu.

L'encapuchonné nous mène vers un abri défraîchi semblable à ceux depuis lesquels les ouvriers dirigent les grues. Le type se retourne vers moi et me fait signe de le suivre à l'intérieur. Je gare la voiture, coupe le moteur, et sors du véhicule, tendu et prêt à en découdre.

Nash vient se poster à ma gauche. Je le regarde : il a le visage sévère d'un type prêt à tuer. Si je ne le connaissais pas, je le trouverais sûrement intimidant. Enfin, non, pas vraiment : il en faut plus pour m'intimider. Cela dit, je pense percevoir chez lui ce qui pourrait inquiéter le clampin moyen. Une fois de plus, je me demande ce qui s'est passé dans sa vie pour le faire changer à ce point. Il est si différent du gamin de mes souvenirs…

Cela dit, je n'ai pas dû changer moins que lui…

Nous nous approchons de la porte de l'abri. Le type entre et s'assoit sur une chaise derrière une console couverte de boutons et de leviers. Là, il retire son chapeau et regarde Nash droit dans les yeux.

Je le reconnais sur-le-champ : rougeaud, bouffi, cheveux bruns hirsutes et yeux bleus. Je l'ai déjà vu aujourd'hui.

Aussi vif qu'un cobra, Nash brandit son flingue devant le visage du type, et je ne l'en blâme pas une seule seconde. Pour autant, avant que Nash lui colle un pruneau en pleine face, il faut que je comprenne ce que signifie cette mascarade : il faut que je sache pourquoi, de tous les êtres vivants arpentant le sol de cette planète, notre père a estimé que Duffy était le plus à même de nous aider.

J'entends Nash virer le cran de sûreté de son flingue et me rends compte qu'il est sur le point de tirer.

— Nash, non ! On doit d'abord écouter ce qu'il a à nous dire !

— Tout ce qu'on a besoin de faire avec ce type, c'est le vider de son sang jusqu'à la dernière goutte.

Sa voix est calme à m'en faire presque paniquer.

— Il faut qu'on sache pourquoi papa pense qu'il peut nous tirer d'affaire.

Pour la première fois, Duffy, pas le moins du monde inquiété par le flingue pointé sur son visage, prend la parole :

— J'étais un ami de votre père.

Son accent russe est si subtil qu'on le discerne à peine. Il doit vivre aux États-Unis depuis longtemps.

— Dans ce cas, on va te buter à la fois pour avoir tué notre mère et pour avoir trahi notre père.

— Je suis meurtrier, je te le concède, mais jamais je n'ai trahi ton père. D'ailleurs, j'étais un ami de vos deux parents. Un ami loyal. Je savais combien Greg voulait tourner le dos à ce boulot. Pas pour lui d'ailleurs : pour vous. Et pour Lizzie.

L'entendre prononcer le nom de ma mère me fait serrer les dents à m'en rompre la mâchoire : c'est comme s'il avait été murmuré par Satan en personne.

— Et ta loyauté, tu l'as prouvée en bourrant le bateau d'explosifs et en appuyant sur le détonateur, c'est ça ?

— Vous n'étiez pas censés arriver si tôt. J'ignorais qu'elle était déjà à bord.

— Le mieux, ça aurait peut-être été de ne rien faire exploser, non ? C'est plutôt ce genre de choses qu'on attend d'un ami, en général. Je me trompe ? grogne Nash.

— Votre père savait que je devais le faire pour sauver les apparences. Quand les registres ont disparu, il savait que Slava soupçonnerait jusqu'au dernier de ces types.

— Les registres ? C'est toi qui lui as fourni les registres ?

Duffy acquiesce, et je suis pris de nausées. Plus j'en apprends sur ma famille, sur mon père et ses magouilles, plus je brûle de fuir cette vie et tous les gens qui la hantent : comme ce type. Comme Nash, aussi, sûrement.

— Posez-vous la question : si votre père ne me faisait pas confiance, pourquoi m'aurait-il choisi pour vous aider ?

L'argument est solide, mais je ne crois pas un traître mot de ce qu'il nous raconte. Pour être honnête, j'ai un mal fou à avoir les idées claires. Il y a trop peu de personnes de confiance dans ce merdier, et bien trop de criminels. Trop peu de réponses et bien trop de mensonges. Infiniment trop de mensonges.

— Sincèrement ? Je n'en sais rien. La seule personne en qui j'ai vraiment confiance, là, tout de suite, c'est moi. T'as intérêt à nous expliquer rapidement en quoi tu peux nous aider, puis t'arracher d'ici. Et, quoi qu'il en soit, je te garantis une chose : la prochaine fois que l'un de nous deux croisera ta route, il se fera un plaisir de repeindre les murs avec ta cervelle.

Duffy acquiesce.

— Je comprends.

Sa docilité semble correspondre à celle d'un type qui aurait passé sa vie hanté par la culpabilité, au même titre que le comportement irrationnel et débridé de Nash colle avec celui d'un mec qui aurait passé sa vie avec des criminels. Des criminels et une insatiable soif de vengeance.

— Bon, alors : qu'est-ce que tu fous ici ?

— Je vais faire chanter Anatoli, le bras droit de Slava, pour qu'il me rende les registres. C'est le seul type en qui Slava a vraiment confiance.

— Et tu penses que tu as assez de cartouches pour le pousser à faire une chose pareille ?

— Je ne le pense pas : je le sais. Ce sera suffisant pour me retrouver en danger, mais j'ai une dette envers votre père : il aurait pu me faire porter le chapeau lors de son procès, révéler que c'était moi qui avais volé les registres, mais il n'a jamais rien dit. Et pour l'en remercier, j'ai tué sa femme. Je lui dois de prendre ce risque.

— Sans blagues, fils de pute ! crache Nash.

— Notez, par contre, qu'une fois les registres en ma possession, vous devrez être prêts à agir vite. Je pourrai vous aider en vous fournissant des listes incriminantes qui vous permettront de monter un dossier solide, mais après ça, vous serez seuls. Si vous ne saisissez pas cette chance, je ne pourrai rien faire de plus pour vous qu'assister à vos funérailles.

—J'espère que tu te doutes qu'on croit autant en ta parole qu'en l'espérance de vie d'une putain de boule de neige en enfer ?

Duffy acquiesce.

—Allez rendre visite à votre père. Méfiez-vous juste de ce que vous dites : ils ont des oreilles partout, comme vous l'avez déjà remarqué.

En effet, je l'ai remarqué.

—Et après, quoi ?

—Ensuite, dès que j'ai les registres et les listes, je vous contacte. Après quoi, vous n'entendrez plus jamais parler de moi.

—J'espère que ça veut dire ce que je pense que ça veut dire, crache Nash.

—Cela veut dire que je disparaîtrai d'une façon ou d'une autre. Ce pays ne sera plus sûr pour moi. Ma famille…

—Arrête le mélo, enfoiré ! Par ta faute, c'est toute la famille qu'il me reste ! hurle Nash, rageur, en me pointant du doigt.

—Dans ce cas, nous serons quittes : je ne devrai plus rien à ta famille.

—Toute ta vie, tu nous dev…

—Nash ! l'interromps-je.

Le menacer ne servira à rien tant que nous n'aurons pas parlé à notre père. Si ce type peut nous permettre de protéger Olivia, je dois conserver cette carte en main, même si l'illustration me donne envie de vomir. Elle en vaut la peine.

—Il faut qu'on parle à papa, continué-je.

Je le regarde, espérant que ce qu'il y lira le convaincra d'en rester là. Je comprends que c'est le cas lorsque je le vois prendre une profonde inspiration et serrer les dents. Il sait que s'il veut un jour avoir sa revanche sur les Russes, c'est le mieux qu'il puisse faire.

—Dernière chose : j'ignorais que c'était ta petite amie qu'il m'avait envoyé kidnapper. Je savais que je devais enlever une fille du nom d'Olivia Townsend ; qu'on allait s'en servir pour récupérer des infos, puis qu'on la tuerait. Je n'ai découvert que c'était ta copine que lorsque je t'ai vu à l'entrepôt.

Aussitôt, je me sens davantage en phase avec Nash et sa haine inextinguible : je vois rouge. Ou noir, peut-être. Je n'arrive plus à penser à autre chose qu'à ce type débarquant chez Olivia pour l'enlever. Le fait qu'il ait enlevé Marissa au lieu d'Olivia n'y change rien. Tout ce qui compte, c'est qu'il comptait l'enlever, puis l'envoyer de l'autre côté…

—Du calme, frérot, c'est ça ? Attends qu'on ait parlé à papa, pas vrai ?

Le sarcasme dans la voix de Nash est manifeste, mais, sur le moment, je ne pourrais m'en foutre davantage. Je lutte de toute mon âme pour ne pas tuer ce type de mes poings ; pour ne pas mettre son visage et ses vêtements en sang, tandis que je le maltraite de toutes mes forces jusqu'à ce que s'effacent de mon esprit les images de son flingue sur la tempe d'Olivia.

Je me retourne et sors de l'abri. J'ai besoin de prendre l'air. Beaucoup d'air et de l'espace. Être aussi proche de l'homme qui a non seulement tué ma mère, mais entreprenait de faire subir le même sort à Olivia m'est insoutenable : si je reste près de lui, je risque de l'égorger purement et simplement. Heureusement, je me connais assez pour savoir quand je perds le contrôle, et je sais que me barrer d'ici est encore ce qu'il y a de plus sage à faire. Je me fiche que Nash soit encore là-bas : il me suivra quand il en aura fini avec Duffy. Et à cet instant précis, d'ailleurs, peu m'importe s'il descend cet enfoiré : on trouvera un autre plan d'attaque.

C'est du moins ce que j'espère.

29

Olivia

Je pense que j'ai bien dû me tourner dix mille fois vers la porte du bureau depuis le début de la soirée, espérant chaque fois y apercevoir le visage de Cash. Je suis à deux doigts de péter un plomb. Chaque fois que je repense au fait qu'il n'a pas répondu à ma déclaration, j'ai l'impression qu'on m'enfonce un tison brûlant en plein cœur ; pour autant, je ne peux pas m'empêcher de l'aimer. Plus que tout. Je ne pourrais pas continuer à mener une vie normale s'il sacrifiait sa vie pour me sauver. Si je suis destinée à vivre loin de lui, à être privée d'un rêve à ses côtés, à ne jamais conquérir pleinement son cœur, cela ne changera rien au fait que je l'aime davantage que j'ai jamais aimé quiconque. Rien que d'imaginer qu'il puisse mourir à cause de moi m'est insupportable. Même si je ne peux pas le faire mien, le simple fait de le savoir en vie, en bonne santé, et en sécurité me suffira.

Tout ce que je veux, c'est savoir qu'il vit encore, là, dehors, je ne sais où…

Une fois de plus, j'ai les larmes aux yeux.

Pourvu qu'il ne meure pas… Pourvu qu'il ne meure pas… Pourvu qu'il ne meure pas…

J'ai dû répéter ce mantra dans ma tête toute la soirée, à tel point que je me demande comment j'ai réussi à préparer correctement la moindre boisson. Mon autopilote doit vraiment être d'une efficacité exceptionnelle, sauf lorsqu'il est question de m'habiller.

Une fois de plus, je jette un coup d'œil en direction de la porte. Tandis que mes yeux se tournent de nouveau vers le bar, ils croisent Marco. Il me sourit : rien de charmeur dans son sourire, ni de particulièrement jovial. Il a davantage l'air de compatir et de vouloir me soutenir. Je me demande ce à quoi il pense et ce qu'il sait.

De toute façon, je m'en fous : si ça tourne mal entre Cash et moi, je ne bosserai bientôt plus ici, alors quelle importance ?

Et si tu essayais de respirer, Olivia ?

Bonne idée. Très bonne idée.

Soudain, les lumières se font plus douces : un slow s'annonce.

Il ne manquait plus que ça… Ils veulent m'arracher le cœur ou quoi ?

Je reconnais aussitôt le morceau dès les premières mesures : *Goodbye My Lover* de James Blunt.

Comme je le craignais, je sens le couteau se retourner dans mon cœur déjà chancelant. Mon inquiétude pour Cash couplée aux paroles de la chanson me fait suffoquer. J'étouffe et, l'espace de plusieurs secondes, j'ai l'impression de ne plus pouvoir respirer du tout.

Mais, soudain, l'air emplit de nouveau mes poumons : debout dans l'encadrement de la porte du bureau se tient Cash, ses yeux rivés dans les miens. Je sens qu'il me déshabille du regard. Aussitôt, j'ai la sensation d'être nue en pleine nuit sous une chaude pluie d'été. Cash est partout : dans ma peau, dans mon cœur et dans mon âme.

J'ai tellement envie de lui que je pourrais presque jouir rien qu'en le regardant. Je rassemble le peu de détermination qu'il me reste pour ne pas bouger et garder mon expression la plus neutre possible ; pour faire comme si de rien n'était. Et j'y parviens. Comment, je ne sais pas, mais j'y parviens.

Jusqu'à ce qu'il commence à avancer dans ma direction.

Alors, aussitôt, j'arrête : tout. J'arrête de respirer, de réfléchir : tout ce que j'arrive à faire, c'est contempler les longues jambes de Cash engloutir la distance qui nous sépare. Sans un mot, il se fraie un chemin parmi la foule à grands coups d'épaule et, lorsqu'il arrive devant moi, il tend une main par-dessus le comptoir et attend que je m'en saisisse.

Son regard n'a toujours pas quitté le mien, et le reste du monde a disparu à mes yeux. Soudain, je me moque de savoir qui nous observe. À part Cash, rien n'a plus d'importance. D'ailleurs, rien n'en a jamais eu, et rien d'autre que lui n'en aura jamais plus.

Je glisse mes doigts dans sa paume, et il tire sur ma main avec délicatesse. Je prends appui d'un pied sur l'étagère située sous le bar, puis pose un genou sur le comptoir. Cash lâche alors ma main, se penche en avant, et me prend dans ses bras.

Son souffle brûlant vient réchauffer mes joues. Je sens son désir, sauvage et avide, jusque dans mon âme, et, l'espace d'un instant fugace, je crois percevoir aussi son amour pour moi. Il me consume, mais d'une manière inédite. Comme une marque au fer rouge symbole de notre promesse tacite que je serai toujours sienne, et lui toujours mien.

Alors, il se penche vers moi et dépose ses lèvres sur les miennes. Au loin, j'entends des cris, des encouragements, des applaudissements, mais n'y fais pas attention. Je me fiche de qui nous voit, de qui sait désormais et de ce qu'ils peuvent en penser. J'appartiens corps et âme à l'homme qui me porte dans ses bras.

Lorsque Cash relève la tête, ses lèvres esquissent un sourire malicieux.

— Je t'ai déjà dit que je t'aimais ? me demande-t-il.

Mon cœur exécute un triple saut périlleux, et cet exploit se répercute jusque sur mon sourire.

— Non. Je m'en serais souvenue.

Cash commence à marcher vers l'escalier latéral, celui qui mène à la salle V.I.P. où nous nous sommes rencontrés pour la première fois. Je me fiche d'où il m'emmène, tant qu'il me garde avec lui.

Pour toujours.

—C'est ta faute, il faut dire : chaque fois que j'ai eu l'occasion de te déclarer ma flamme, tu m'as devancé. Or, tu sais aussi bien que moi que je ne supporte pas les médailles d'argent. Avec moi, c'est l'or ou rien. Je ne plaisante pas avec ça.

—Pour le savoir, ça, je le sais…, le taquiné-je. Et cette fois, ajouté-je en me tournant vers la salle en délire, tu as carrément eu droit au tour d'honneur.

—L'ironie dans tout ça, c'est que je me fiche de la médaille, de la coupe et de la foule en délire. Tout ce que je veux : c'est toi. Rien que toi. Si cela ne tenait qu'à moi, je ferais disparaître l'univers entier autour de nous pour que nous nous retrouvions seuls jusqu'à la fin des temps.

—Si seulement tu avais des pouvoirs magiques…

—Je ne suis pas un magicien, c'est sûr, mais j'ai une baguette d'enfer, me dit-il en m'adressant un clin d'œil.

—Vraiment ?

—Vraiment. Tu veux la voir ?

—Bien sûr…

Cash monte les marches quatre à quatre et, arrivé en haut, se penche pour que je puisse ouvrir la porte de la salle V.I.P. Il entre, puis la porte se referme automatiquement derrière nous. Il me transporte jusqu'au milieu de la pièce, puis me repose au sol. Je jette un regard alentour, et redécouvre ce lieu dans lequel ma vie a basculé. Il n'a pas changé – toujours ces tapis noirs sur le sol, ces murs noirs et ces lumières vives, une paroi faite de miroirs sans tain, et, en face d'eux, un bar –, pourtant, elle m'a l'air toute différente aujourd'hui.

Comme si quelqu'un –Marco, au hasard– savait que nous venions de monter ici, la musique change et *Lick it Up* de Kiss résonne dans tout le club. Je marche jusqu'aux miroirs sans tain et baisse les yeux vers le bar. Marco, tout sourires, m'adresse un petit signe de tête comme s'il savait que je le regardais. Je ne peux m'empêcher de rire.

—Il me semble qu'on avait été interrompus, ici, la dernière fois. Ça te dit quelque chose?

—Alors là, vraiment, je ne vois absolument pas de quoi tu parles…, dis-je, les yeux grands ouverts, de mon accent du Sud le plus innocent.

—Ah? C'est peut-être parce que je porte encore trop de vêtements. Je pense qu'il va falloir que tu prennes les choses en main. Et tout de suite. À commencer par ce tee-shirt à la con.

Cash place ses bras en croix comme il l'avait fait lors de notre première rencontre. Je marche lentement vers lui, puis passe mes mains autour de sa taille et libère son tee-shirt de sa ceinture, comme je l'avais fait ce même soir. Mes seins caressent son torse, et son regard embrase mon corps entier, exactement comme cela s'était passé cette soirée-là.

Je fais passer le vêtement par-dessus sa tête et le jette sur le côté.

—Mon jean, maintenant, m'ordonne-t-il d'une voix douce, l'air autoritaire. À genoux.

Obéissante, je me mets à genoux devant lui. Mes yeux rivés dans les siens, je lève une main et commence à déboutonner son jean. Je sens son érection mettre à rude épreuve les coutures du vêtement, tandis que mon poignet frôle sa fermeture Éclair. Je commence à la baisser, mais il m'interrompt d'une voix impérieuse.

—Avec tes dents.

Un frisson d'excitation hérisse ma peau, et j'obéis. Je pose lentement mes mains sur ses fesses galbées et puissantes, puis me penche jusqu'à apercevoir la languette dorée. Je la soulève d'un coup de langue, puis la prends entre mes dents… Cash retient son souffle. Je souris, tandis que je baisse la tête et libère son sexe impressionnant de sa prison.

Me prenant au petit jeu de torture de Cash, je resserre mon emprise sur ses fesses, le rapproche de ma bouche, puis laisse courir ma langue le long de son membre massif, de la base jusqu'au bout. Cash gémit, et je resserre mes lèvres autour de son gland. Il laisse glisser ses doigts dans mes cheveux et maintient ma tête contre lui, juste une seconde.

—Retire mon pantalon, lâche-t-il d'une voix rauque.

Son niveau d'excitation me donne entière satisfaction : moi aussi, je peux me faire provocante.

Je ne lui dis pas combien je me plais à passer mes mains dans sa ceinture, à les laisser glisser le long de ses fesses parfaites, à caresser ses cuisses puissantes. Je ne lui dis pas que je ne lui trouve pas le moindre défaut, que jamais je n'ai vu un homme aussi bien foutu que lui.

Lorsque j'arrive à ses chevilles, il se débarrasse de ses chaussures de deux coups de pied habiles, puis de son jean. Je me lève lentement, dévorant son sexe des yeux avant de le prendre à pleines mains.

Il se penche pour m'embrasser, mais je l'esquive, m'échappe et me dirige vers le bar.

Tu veux jouer, Cash ? Alors on va jouer…

Je quitte mes chaussures, puis me tourne dos au bar, avant de me hisser sur le comptoir. Mes yeux ne le quittent pas une seconde, tandis que je me lève et, depuis mon piédestal, me mets à me déhancher au rythme des basses. Il me suffit de voir la flamme qui brûle dans son regard pour comprendre combien il a envie de moi. Ici. Tout de suite. Douloureusement… Mais il attendra. Encore un peu.

Tu voulais un strip-tease ? Te voilà servi…

Mes gestes lents, je croise les bras, m'empare du bas de mon débardeur, puis le soulève, centimètre après centimètre, le long de mon torse, de ma poitrine, puis le laisse glisser délicatement par-dessus ma tête. Je secoue mes cheveux pour les en dégager, puis lance le fin vêtement noir en direction de Cash. Avec un sourire plein de sous-entendus, il l'attrape, le porte à son visage, puis le hume.

Je laisse le plaisir qui m'envahit transparaître jusque dans ma gestuelle, souris à Cash et déboutonne mon jean, puis me déhanche en le baissant jusqu'à mes chevilles. Je sens ses yeux accompagner le moindre de mes mouvements ; c'est comme s'ils me touchaient ; brûlaient de me prendre, eux aussi.

Une fois mes jambes libres, j'envoie valser mon pantalon en direction de Cash. Il l'attrape et, comme il l'a fait avec mon haut, le porte à son visage et le hume. Au-dessus du vêtement, ses yeux scintillent.

Je laisse glisser l'une, puis l'autre de mes bretelles de soutien-gorge le long de mes épaules, et les laisse tomber sur mes bras, révélant à la vue de Cash le galbe de mes seins, sans en dévoiler les aréoles.

Lascive, je lui tourne le dos, lui jette un regard par-dessus mon épaule, libère le lacet de dentelle du crochet qui le retient, puis retire mon soutien-gorge. Il me sourit et lève un sourcil provocant. Un clin d'œil, et je lui lance la délicate pièce de lingerie.

Une fois de plus, il la récupère et y enfouit son visage, avant de la humer bruyamment. Il ferme les yeux, et j'ai l'impression que c'est mon corps qu'il hume, mon âme dont il s'imprègne.

J'attends qu'il ouvre les yeux pour laisser mes doigts glisser le long de ma taille, puis sous l'élastique de ma culotte. L'impatience de Cash est palpable ; il règne dans la pièce une tension insoutenable. Alors, j'arrête et lui souris. Sans me quitter des yeux, il se mord la lèvre inférieure de ses dents d'une blancheur immaculée. Il saisit son sexe d'une main et commence à se caresser lentement.

Un élan soudain au creux de mon ventre me prouve que je suis aussi victime que lui de ce supplice érotique… Mais je ne peux pas m'arrêter là.

Je baisse ma culotte de quelques centimètres à peine. Les yeux de Cash se posent sur mes fesses, et je le vois qui retient son souffle. Je me tourne légèrement et, aussi lentement que possible, je laisse glisser le tissu le long de mes jambes, cambrant mes hanches au maximum. Le gémissement qu'émet Cash me prouve qu'il apprécie particulièrement ce que je fais ; ce qu'il voit. Je remonte mes mains le long de mes jambes avec une sensualité infinie, les pose sur mes hanches, puis me redresse.

Cash parle alors, mais d'une voix si basse et si animale que je l'entends à peine.

— Ne bouge plus.

Il s'approche de moi, s'arrête à mes pieds et contemple ma nuque, mon dos et mes fesses. Ses yeux s'embrasent, à moins que ce soit mon désir qui se reflète dans les siens.

Il se penche et tend une main vers moi. Je pense qu'il va me toucher. Au lieu de cela, sa main disparaît derrière moi et s'empare d'une bouteille de whisky posée sur l'une des étagères du bar.

— Retourne-toi, ordonne-t-il.

Brûlante de désir, j'obéis, me retenant de cacher ma poitrine. Je me tiens devant lui, fière et confiante, attendant la volupté avec trop d'impatience pour me montrer craintive.

— À genoux.

Docile, j'obéis une fois de plus, et me mets à genoux sur le comptoir, devant lui. Son regard ténébreux symbolise tout ce que je parviens à imaginer de plus équivoque, excitant et tabou, et mon ventre s'embrase. Je suis prête à m'offrir à lui, à tel point que mon désir se manifeste douloureusement.

— Écarte les jambes.

Je m'exécute. Il dévore ma poitrine du regard, avant de laisser ses yeux s'attarder sur mon ventre puis entre mes cuisses. Je ne saurais expliquer comment, mais j'ai la sensation de le sentir en moi : de sentir sa langue, ses doigts, sa queue entre mes lèvres. Je ne pourrais supporter plus longtemps de ne pas l'avoir en moi. Lorsque ses yeux croisent de nouveau les miens, j'ai le souffle court.

Il me tend un shooter de whisky.

—N'avale pas.

Je prends le liquide dans ma bouche et l'y emprisonne, les yeux rivés sur Cash, attendant sa prochaine injonction.

—Maintenant, ouvre la bouche. Lentement. Laisse-le couler le long de ton menton.

J'ouvre à peine les lèvres et laisse le liquide brûlant s'en échapper. Il roule le long de mon menton et de ma gorge, ruisselle le long de mon sein gauche, puis vient couler le long de ma cuisse. De là, le filet de whisky arrive droit sur mes lèvres. Cash se penche et stoppe le liquide d'un coup de langue.

La joue contre mon genou, il lèche l'alcool qui s'est répandu à l'intérieur de ma cuisse jusqu'au pli de ma jambe, sur laquelle il fait remonter sa langue ardente. Il est dangereusement près de cette partie de mon corps qui ne cesse de se tendre lorsqu'il est près de moi… mais s'arrête net. Le supplice est tel que je manque de hurler. Cash s'aventure plus haut et vient laper mon ventre, puis mon sein qu'il lèche jusqu'à avoir avalé la dernière goutte d'alcool.

Il ne me touche toujours pas. Au lieu de cela, il s'empare de nouveau de la bouteille, remplit le shooter, puis me le tend.

—Recommence.

Je me prête une nouvelle fois à l'exercice, mais, cette fois, le whisky cascade de mon menton directement entre mes seins, puis sur mon ventre.

La première goutte à s'aventurer dans ma culotte en soie tombe pile sur mon clitoris, provoquant en moi une décharge d'électricité. Je laisse le reste du liquide s'infiltrer dans les replis de mon intimité, savourant pleinement la caresse du liquide sur ma chair avide.

Alors, Cash avance une main vers moi et pose un doigt entre mes jambes, récoltant la liqueur qui s'y trouve. Il lève les yeux vers moi, puis glisse son doigt dans sa bouche.

—Délicieux…, ronronne-t-il, avant de se baisser et de déposer un baiser sur l'intérieur de ma cuisse. Mais pas autant que toi…

D'un long coup de langue, il me lèche de bas en haut.

—J'ai eu peur de ne plus jamais pouvoir te goûter, murmure-t-il, son souffle brûlant faisant frémir mon corps humide. Ton parfum, ta saveur… Tu es incroyable…

Soudain, il pose ses mains contre mes cuisses, les écarte davantage et plaque sa bouche contre moi. D'un assaut de langue habile, il s'enfonce en moi. Si j'avais été debout, je me serais effondrée. Si le whisky m'a fait l'effet d'une décharge d'électricité, ce que je viens de ressentir a l'intensité de la foudre.

Je laisse glisser mes doigts dans ses cheveux courts et le maintiens contre moi, tandis que ses lèvres et sa langue me caressent, me lèchent et me pénètrent avec ardeur.

Je m'avance contre sa bouche, fais ondoyer mes hanches contre son visage. La tension familière qui précède le vertige se fait dangereusement intense… lorsqu'il s'arrête soudain.

Je crois que je pourrais pleurer de frustration!

—Pas encore, ma belle, murmure-t-il, avant de placer sa main entre mes seins et de me pousser vers l'arrière avec délicatesse.

Je me tourne légèrement et m'allonge sur le comptoir. Cash s'y hisse ensuite et enfouit son visage entre mes jambes.

—Je veux que tu jouisses sur ma queue… Que tu jouisses quand je suis en toi; quand tu m'emprisonnes si fort que j'ai l'impression qu'elle est trop grosse pour toi.

Il plie mes genoux de sorte que mes pieds reposent à plat sur le comptoir, puis je sens de nouveau sa langue me pénétrer, décrire des cercles de feu à l'endroit le plus sensible… Il glisse ensuite un, puis deux doigts en moi, les replie à l'intérieur, et se lance dans une série de va-et-vient irrésistibles.

En l'espace de quelques secondes, me voici à deux doigts de l'orgasme.

Mais, de nouveau, il s'arrête. Juste avant que je franchisse le seuil de l'extase. J'ai le souffle court, lui aussi, lorsqu'il glisse ses genoux sous mes hanches, puis m'attire contre lui, plaçant mes jambes de part et d'autre des siennes.

Telles deux pièces d'un puzzle parfaitement ciselé, j'épouse son corps à merveille et sens son membre raidi glisser entre mes lèvres, me caresser, me provoquer. Cash plaque ses hanches contre les miennes, place une main entre mes cuisses et commence à me caresser de ses doigts encore humides.

—Ça te plairait si je te disais qu'ils peuvent nous voir? demande-t-il en désignant les miroirs sans tain d'un hochement de tête.

Mon cœur fait un bond.

—Si je te disais que les miroirs ne fonctionnent que lorsque les lumières sont allumées? Si je te disais qu'ils nous verraient s'ils prenaient la peine de lever la tête? Est-ce que ça t'exciterait?

Il enfonce ses doigts en moi, et je sens mon corps avide se resserrer sur eux, les aspirer, impatient d'en avoir plus.

—Hmm… Tu aimes ça, hein? Tu aimes l'idée d'être surprise, d'être vue, n'est-ce pas?

Cash pose les mains sur mes hanches et me maintient avec fermeté, le gland entre mes lèvres, prêt à se perdre en moi.

—Dis-moi que tu aimes ça, m'ordonne-t-il.

Haletante, sur le point de l'implorer de me prendre, j'admets que la situation me rend dingue.

—J'aime ça…

Soudain, il s'enfonce en moi d'un seul coup de reins. La sensation est si intense que je ne peux retenir un cri de plaisir.

—Ça t'exciterait qu'ils puissent contempler ton corps sublime? Qu'ils me voient te lécher, te toucher?

Comme pour appuyer son propos, Cash prend l'un de mes seins dans sa bouche et le suce sans ménagement.

Je passe les mains dans ses cheveux, les agrippe tout en pressant le visage de Cash contre ma poitrine. Lentement, il imprime son rythme à nos corps qui se cherchent.

— Ça t'excite de te dire qu'ils te regardent peut-être me monter ? Qu'ils te regardent chevaucher ma queue ? Qu'ils t'observeront quand tu jouiras ? Qu'ils regarderont tes lèvres quand tu crieras mon nom, encore et encore ?

Cette façon qu'il a de me parler ! Elle me tue ! Ses mots me font oublier tout le reste : sitôt que je les entends, je ne peux penser à rien d'autre. Tout ce que je peux faire, c'est ressentir : ses doigts qui mordent mes hanches, sa bouche sur mon menton, ses lèvres sur mon cou, ses dents qui mordillent mes seins, son souffle rauque et ardent, et son corps qui comble le mien.

— Tu aimes ça, hein ? Que je te parle comme ça…

— Oui…, lâché-je, le souffle court.

Cash bloque mes mains contre sa poitrine, puis s'allonge en arrière sur le bar, cambrant ses hanches sous moi, tandis que je le monte comme l'étalon qu'il est, laissant sa queue s'enfoncer plus profond en moi.

— J'y suis presque en entier…, gémit-il.

Mes fesses se lèvent et s'abaissent en rythme, et je sens chaque assaut plus profond et intense. Cash s'appuie alors sur un coude, place une main entre nous et commence à me caresser, ses doigts décrivant de petits cercles autour de mon clitoris, me procurant un plaisir infini. J'ai l'impression qu'il n'y a plus la moindre particule d'oxygène dans la pièce, tant je peine à respirer. Je suffoque presque, halète, prononce des paroles inintelligibles à mes oreilles, mais que je sais incendiaires, obscènes, même ; des paroles qui rendront Cash encore plus fou de désir.

— Je sens que tu aimes ça. C'est bon… je te sens si serrée autour de moi…, halète-t-il. Dis-moi que tu aimes ça.

— J'aime ça… J'aime tellement ça…

— Qu'est-ce que tu veux ? Dis-le. Je veux t'entendre le dire.

— Je veux…, commencé-je, incapable de garder les idées assez claires pour finir ma phrase.

— Dis-le, ma belle.

— Je ne veux pas que tu t'arrêtes : je veux que tu me fasses jouir.

Cash grogne, et je sens ses doigts s'activer davantage, en petits cercles pressants qui me rapprochent un peu plus de l'extase.

— Tu veux que je te fasse jouir ? Je vais te faire jouir si fort que tu ne pourras que crier mon nom, rugit-il entre ses dents.

Soudain, Cash se redresse, me fait basculer en arrière et recouvre mon corps du sien. Il attrape l'une de mes jambes derrière le genou, la plaque contre ma poitrine, et s'enfonce en moi, plus profond que jamais. Une fois, deux fois… et j'explose.

Des spasmes irrépressibles agitent mon corps entier, tandis que déferlent en moi les vagues d'un plaisir plus intense que j'en ai jamais connu. Je ne peux plus ouvrir les yeux. Je ne peux plus respirer ; plus bouger. Tout ce que je fais, c'est me délecter de ce vertige des sens et entendre, lointaine, ma voix hurler le nom de Cash.

Encore et encore.

30

CASH

OLIVIA EST ALLONGÉE SUR MOI : J'AI CHANGÉ DE POSITION sitôt que nous avons repris notre souffle, pour ne pas l'écraser. Maintenant qu'elle est à bout de forces, je dois lui donner l'impression de peser des tonnes. Elle, en revanche, affalée sur mon torse, me semble aussi légère qu'une plume. Si je ne ressentais pas la chaleur de son corps, je pourrais croire qu'elle s'est envolée.

Comme à son habitude, elle laisse courir ses doigts le long de mon tatouage.

Elle soupire.

— Tu comptes me dire ce qu'il représente, un jour ?

Elle a l'air comblée, heureuse. Je l'entends dans sa voix : on dirait une chatte en train de ronronner.

— Si tu regardes bien, tu distingueras chaque élément marquant de ma vie, dis-je en posant un doigt sur mon torse, prêt à lui révéler les secrets de l'encre noire. Ici, ce sont les flammes qui ont consumé le bateau… et ma vie. Ici, les ailes avec lesquelles ma famille s'est envolée. Là, c'est une version retravaillée du Yin et du Yang, pour moi et le frère jumeau que j'ai perdu. Et cette rose est pour ma mère. Qu'elle repose toujours en paix.

— Et ici ? me demande-t-elle en caressant les mots qui s'enroulent autour de mon biceps, juste en dessous de l'endroit où naissent les flammes.

La phrase est inintelligible depuis que la balle m'a esquinté la peau.

— C'était marqué : « Jamais je n'oublierai. »

— Et cette balle a brouillé le message…

Je place un bras derrière ma nuque, et rive mon regard dans celui d'Olivia. Ses yeux luisent, comme si elle était sur le point de pleurer.

— Ce n'est pas grave. Et puis, ce que j'ai fait valait sans conteste une écorchure.

Elle ferme les yeux, comme si elle tentait de bâillonner une douleur insurmontable.

— Tu aurais pu mourir, là-bas, dit-elle d'une voix à peine audible.

— Olivia…, l'appelé-je d'un ton délicat, attendant qu'elle rouvre les yeux. Au moins, maintenant, quand je dis que je serais prêt à me prendre une balle pour toi, tu sais que je ne plaisante pas. Je t'aime. Si, pour te protéger, je dois me prendre une balle, une lame de couteau ou une dérouillée, c'est le prix à payer et je l'accepte.

Ses yeux émeraude scintillent, baignés de larmes qui menacent à tout instant de rouler sur ses joues.

— Et ce n'est censé te rendre ni triste, ni coupable, ajouté-je.

— Ça ne me rend pas triste, avoue-t-elle d'une voix tremblante. Au contraire : t'entendre me dire tout ça me rend heureuse.

— Vraiment ? dis-je dans un sourire.

— Je crois bien que oui…, répond-elle, radieuse.

Je laisse courir mes doigts le long de ses côtes humides de sueur.

— Tu sais, j'adorerais rester ici avec toi quelques jours de plus, mais je pense qu'on ferait mieux de descendre, histoire que tu puisses filer sous la douche. Ce ne sera pas du luxe.

— Je me demande bien pourquoi, tiens…

— Alors là, aucune idée… Cela dit, si tu veux vraiment le savoir, ce qu'on pourrait faire, c'est recréer tous les scénarios possibles, jusqu'à découvrir ce qui t'a rendue si poisseuse.

— Tu me promets de faire ça pour moi un jour ?

—Tu as ma parole !

Je dépose un baiser délicat sur ses lèvres, puis une petite tape sur ses fesses, avant de l'aider à détacher son corps du mien. J'essaie de ne pas trop penser aux effets de ma fessée sur le bout de ses seins, même si la tension qui commence à naître entre mes jambes me fait clairement comprendre que j'en suis incapable. Cela étant, ce qu'elle me dit ensuite me fait débander sur-le-champ.

—C'est quoi l'histoire entre Nash et Marissa ?

—Aucune idée, et je m'en contrefous.

—Vraiment ? Tu te contrefous de ce qui se passe dans la vie de Nash ?

Je hausse les épaules.

—Ce n'est pas que j'aurais préféré qu'il soit vraiment mort, mais ce n'est plus vraiment le frère que j'ai connu.

—Peut-être qu'il vous faut juste un peu de temps pour vous apprivoiser ; pour faire plus ample connaissance avec l'homme que vous êtes chacun devenu.

Je hausse les épaules une fois de plus.

—Peut-être.

Mais je ne te promets rien !

Nous nous rhabillons, redescendons l'escalier, puis nous dirigeons vers l'appartement. Lorsque j'ouvre la porte du bureau, je suis surpris d'y découvrir Marissa, assise sur le canapé.

—Qu'est-ce que tu fais là ?

—J'attends… Nash, dit-elle.

De toute évidence, elle n'est pas sûre de savoir si elle utilise le bon prénom. Elle a enfin compris ; pas tout, mais, si ce n'est les détails, les grandes lignes au moins.

—Il n'est pas encore rentré ? Il me talonnait.

—Ni moi, ni Gavin ne l'avons vu, en tout cas.

Un frisson d'inquiétude me parcourt la nuque.

—Je vais l'appeler et voir où il se planque, lancé-je à Marissa en dégainant mon téléphone.

Et essayer de comprendre ce que c'est que ce merdier...

Je cherche son nom dans la liste des derniers appels, le sélectionne, puis attends la sonnerie. Lorsque je l'entends, il me semble percevoir un écho étouffé... qui provient de la pièce d'à côté. L'espace d'une seconde, je pense que l'un de nos téléphones jetables s'est mis à sonner en même temps.

Cette abrutie de Ginger doit vouloir prendre des nouvelles d'Olivia...

Je me trompe : c'est bien le téléphone de Nash dont la sonnerie étouffée vient de la chambre, juste à côté. Je garde mon téléphone avec moi, et me dirige vers la porte.

Le temps que j'y arrive, le téléphone sonne de nouveau, plus fort, cette fois. J'entre dans la chambre et essaie de localiser l'appareil, mais, comme ma chambre ne dispose d'aucune fenêtre, elle est plongée dans le noir. Lorsque j'allume, c'est pour découvrir Nash allongé sans connaissance sur mon lit, le visage en sang. J'entends un cri de stupeur derrière moi. Sans me retourner, je suppose qu'il s'agit de Marissa : elle semble totalement à cran depuis son enlèvement.

Je vais finir par croire que le kidnapping a été une vraie rédemption pour cette garce...

Je finis tout de même par tourner la tête, et la trouve horrifiée, les mains sur la bouche, les yeux écarquillés.

— Mon Dieu ! Qu'est-ce qu'ils lui ont fait !

À mon grand étonnement, elle me contourne et se précipite près de Nash. Elle reste debout à côté du lit, les yeux rivés sur mon frère, et, terrifiée, l'examine des pieds à la tête. En dehors de ça, elle ne fait rien : vu son éducation, je ne suis pas étonné qu'elle ne sache pas comment se comporter dans ces cas-là. Pour autant, je suis impressionné qu'elle ait fait mine d'intervenir.

Je marche jusqu'à la tête de lit et examine attentivement mon frère. Son visage a sacrément morflé : au réveil, il va avoir l'air d'un putain d'arc-en-ciel. Boursouflé, par-dessus le marché.

Ses phalanges en ont pris un sacré coup, elles aussi, et je ne peux m'empêcher de sourire en me disant que quelqu'un – Duffy, par exemple— a dû se prendre une belle dérouillée. C'est lorsque mes yeux se posent sur son ventre que je commence à m'inquiéter. Sa veste de cuir noir est retombée sur le matelas et révèle une tache inquiétante sur son tee-shirt, ainsi que l'estafilade laissée dans le tissu par un coup de couteau : sous le vêtement, il y a une plaie béante...

—Olivia ? Prends Marissa et allez voir Gavin. Il a pris ta place au bar.

Du coin de l'œil, je vois Olivia s'exécuter. Marissa, en revanche, reste plantée à côté de moi, regardant Nash avec les yeux affolés d'un lapin pris dans les phares d'une camionnette.

—Marissa ! m'exclamé-je d'un ton autoritaire.

Elle sursaute, puis tourne ses yeux perdus vers moi.

—Va voir Gavin avec Olivia.

Elle acquiesce machinalement, se tourne et laisse Olivia la guider en dehors de la chambre. Tandis qu'elle quitte la pièce, elle ne peut s'empêcher de regarder à plusieurs reprises vers le lit par-dessus son épaule.

Si elle n'était pas encore devenue complètement dingue, je pense que ce tableau vient de l'achever...

Je focalise de nouveau mon attention sur Nash et vérifie son pouls...

Plutôt bon...

Je lâche un soupir de soulagement. Je ne voulais pas faire peur aux filles, mais, lorsque je l'ai découvert allongé là, je me suis demandé s'il était encore en vie. Je n'éprouve pas particulièrement d'affection pour ce nouveau Nash, mais ça ne veut pas dire que ce ne serait pas une putain de torture de le perdre une deuxième fois.

Avec autant de précautions que possible, je palpe les os de son visage : rien de cassé, apparemment. C'est une chance que les Davenport aient un squelette si solide.

Je passe ma main dans ses cheveux pour tenter de repérer une éventuelle blessure : s'il est dans les vapes, c'est peut-être qu'il a pris un mauvais coup à la tête...

Un œuf de poule à l'arrière de son crâne…

Merde…

D'après ce que je sais des blessures à la tête, mieux vaut que ça saigne à l'extérieur qu'à l'intérieur…

Je l'ausculte un peu plus bas, dénude son ventre, et examine sa blessure. Heureusement, le sang qui s'échappe de la plaie est rouge vif, ce qui signifie qu'il n'y a probablement pas de dégât au niveau des organes internes ou d'une artère.

J'appuie avec délicatesse sur son ventre.

Souple… C'est bon signe.

Lorsque mes doigts effleurent son flanc, il gémit et tourne la tête.

— Eh, comment tu te sens ?

J'entends les autres arriver derrière moi, et Gavin apparaît à mes côtés.

— Saperlipopette ! Il a trinqué bien comme il faut, le petit…

Nash ouvre à grand-peine une paupière et braque son regard sur Gavin. C'est dingue qu'il arrive à faire passer un message aussi fort d'un signe si anodin.

— Va te faire mettre, marmonne-t-il entre ses lèvres tuméfiées.

— Qu'est-ce qui t'est arrivé ? lui demandé-je.

— Des types m'ont coincé pendant que je roulais vers le club sur ta bécane. Je ne voudrais pas m'avancer, mais je pense que tu vas devoir en racheter une.

Putain de bordel de merde !

— Tu sais qui c'était ?

— Aucune idée. Ils ont déboulé de nulle part, ont envoyé valser la moto, puis m'ont démonté…

Nash s'interrompt, puis lance un regard en direction de Marissa et Olivia.

— Désolé, mesdemoiselles : «puis m'ont passé à tabac» pendant que je reprenais mes esprits. Un connard de Russe m'a planté, puis ils m'ont fouillé de la tête aux pieds.

— Qu'est-ce qu'ils cherchaient ?

— Mon téléphone, à mon avis. Pas de bol pour eux : je le garde toujours dans ma botte pour ne pas le paumer.

Je souffle entre mes dents.

— Qu'est-ce qu'il y a ? s'inquiète Olivia.

— Je pensais qu'on serait en sécurité, maintenant. Ce n'est visiblement pas le cas.

— Ça sera comme ça pendant quelques jours. Ils nous ont juste envoyé un avertissement. On a trois jours pour leur filer toutes les copies de la vidéo : si on obéit, ils m'ont dit qu'on serait quittes. Si on joue aux cons, ils nous buteront tous les uns après les autres.

— Ils ont compris qu'il nous suffisait de balancer la vidéo aux flics pour les coincer ?

— J'ai l'impression que ça ne leur fait ni chaud ni froid.

Je m'étais toujours demandé si la vidéo suffirait à les tenir à distance. De toute évidence, non.

— Trois jours ?

— Trois jours.

— Désolée, nous interrompt Marissa. Je sais que votre histoire est compliquée et d'une grande importance, mais vous ne pensez pas qu'on devrait l'emmener à l'hôpital ?

— Non ! s'offusque Nash. Pas à l'hosto. Ils archivent les entrées… et ils appellent les flics dès que quelque chose leur met la puce à l'oreille.

— Là où elle marque un point, dis-je, c'est qu'on ne peut pas non plus te laisser crever ici.

— T'en fais pas, mec. Y a un type que je peux appeler, propose Gavin sans finir sa phrase.

— Un type ? répète Nash. J'ai pas besoin qu'on m'achève, mais qu'on me soigne.

— Pas de souci, il peut faire les deux.

Je me garde d'émettre le moindre commentaire. Tous les contacts de Gavin sont douteux.

—En revanche, je doute qu'il accepte de se pointer dans un lieu aussi peuplé.

Je réfléchis une seconde avant de demander à Nash :

—Tu penses que tu peux bouger d'ici ?

Il essaie tant bien que mal de masquer sa souffrance.

—Ouais, ça ira.

—L'appart, ça me semble pas mal. Le pote de Gav n'aura pas à craindre la foule, là-bas.

—Pourquoi on ne l'emmène pas chez moi ? suggère Marissa. Comme ça, je pourrais garder un œil sur lui après les soins.

—C'est trop dangereux, intervient Olivia.

—Beaucoup trop, acquiesce Nash.

—Je resterai avec eux quelques jours, propose Gavin. Dans son état, il ne pourra pas se défendre en cas d'emmerde.

—Pas la peine, lance Marissa. Ces types lui ont donné un ultimatum : ils n'ont aucune raison de revenir l'agresser. Qui plus est, s'ils avaient voulu le tuer, ils l'auraient fait tout à l'heure. On ne devrait pas avoir besoin de garde du corps.

Aussi extraterrestre que cela puisse paraître, la remarque de Marissa est d'une sagesse remarquable.

—Cela dit, je croyais que tu créchais chez ton père, fait remarquer Olivia à sa cousine.

—Non. Je ne supporte pas d'être là-bas. Je ne le supporte plus. Je ne supporte plus grand monde de mon ancienne vie, pour tout dire…

—Dans ce cas, je viens avec vous chez toi.

—Hors de question ! lâché-je presque sans réfléchir.

—Pourquoi ça ? Qui va la protéger si elle se retrouve là-bas avec un type qui vient de se prendre un coup de couteau ?

—Parce que tu dois rester ici avec moi.

—Non. Ne t'inquiète pas. Ils nous ont donné trois jours, et je suis sûre qu'ils nous ficheront la paix d'ici là.

—Olivia, je ne suis pas prêt à prendre un tel risque. Point.

—Point? En gros, je n'ai pas mon mot à dire?

Une flamme couve dans son regard: la situation est tendue, et je la sens prête à en découdre. Le pire, c'est que sa réaction m'excite… Cela dit, le moment est particulièrement mal choisi pour penser à ce genre de trucs…

Avant de répondre, je prends une inspiration profonde.

—Loin de moi l'idée de vouloir jouer le dictateur atrophié du sentiment. Je pense juste que c'est risqué pour toi de retourner là-bas.

—Mais pas pour Marissa?

—Moins que pour toi.

—Moins, mais tout de même?

—Il y a un risque pour elle aussi, oui.

—Dans ce cas, c'est décidé: je pars avec elle, lâche Olivia, péremptoire, avant de se tourner vers Gavin. Tu veux bien me conduire là-bas?

J'aime Olivia, mais, à cet instant précis, je meurs d'envie de l'étrangler.

—Non, il ne peut pas. Il doit rester ici et fermer la boutique, pendant que toi et moi, nous accompagnerons Nash et Marissa chez elle.

Olivia se tourne vers Gavin, qui hausse les épaules, l'air de dire: «Navré, je ne m'en mêlerai pas.»

—Ton pote peut nous rejoindre là-bas?

—Je pense, oui. Il me doit une fière chandelle.

—OK, dans ce cas, dis-je en me tournant vers Nash. Tu as besoin d'aide pour monter dans la caisse?

—Non, ça ira, dit-il d'un ton détaché, même si je vois les gouttes de sueur qui commencent à perler sur son front sitôt qu'il essaie de se relever.

Lorsqu'il est enfin parvenu à se mettre sur ses pieds, Olivia et Marissa se postent chacune de part et d'autre de mon frère et l'aident à parcourir la distance qui sépare la chambre de la voiture qui nous attend dans le garage. Lorsque Nash passe devant moi, un léger sourire passe sur son visage.

Je rêve ou cet enfoiré prend son pied?

Si cela avait été quelqu'un d'autre, j'aurais probablement trouvé ça amusant, mais, comme c'est lui, je n'ai pas spécialement envie de me taper sur les cuisses : je ne veux pas qu'il touche à Olivia. Je ne veux même pas qu'il se trouve à moins de cinq mètres d'elle. C'est irrationnel, ça a beau n'être que de la jalousie pure et simple, je m'en tape : c'est plus fort que moi et ça ne change rien à ce que je ressens.

Je serre les dents jusqu'à ce que les filles l'aient installé sur la banquette arrière… Il ne lui manque plus qu'un baiser sur le front de la part de chacune des hôtesses.

J'ai envie de le couvrir d'insultes, mais je me retiens.

J'attends que Marissa – stationnée devant le garage – démarre, puis la suis. Dans la voiture, personne ne dit rien de tout le trajet jusqu'à l'appartement. Lorsque nous nous garons, les deux filles se glissent une fois de plus sous les bras de Nash, et je me retiens tout juste de lever les yeux au ciel : hors de question que je prenne le risque de laisser percevoir mes accès de jalousie. Si quelqu'un s'en rendait compte, je passerais pour le dernier des égoïstes, vu l'état de mon frère. Et en même temps, c'est un peu le cas, pour le coup. Mais c'est la faute de Nash : je sais qu'il adore se faire dorloter. D'ailleurs, quand il prend appui plus qu'il ne le faudrait sur Olivia, ma mâchoire se crispe comme un étau.

Connard.

—Les clés, lancé-je à Marissa.

Elle me tend le trousseau, et j'avance jusqu'à la porte pour l'ouvrir. Je la pousse sans entrer, puis écoute un instant, à l'affût de tout bruit suspect. Rien. J'allume et balaie du regard l'intérieur de la maison : elle n'a pas changé depuis que je suis passé récupérer les affaires d'Olivia, il y a quelques jours. C'est rassurant.

Je pourrais déblayer devant nous à coups de pied pour permettre à Nash d'avancer plus facilement, mais, quand je repense à son rictus insolent de tout à l'heure, je me dis que s'il se vautre, cet enfoiré l'aura bien mérité.

Je me retourne vers la porte : les trois attendent mon signal.

— Vous venez ? les invité-je à entrer.

Nash et Olivia font un pas en avant, mais Marissa reste immobile. Olivia se retourne vers elle.

— Tu n'es pas obligée de venir, si c'est trop difficile. Rien ne t'empêche de retourner chez ton père. Ou chez Cash. Personne ne t'en voudra que tu ne veuilles pas remettre les pieds ici.

Je dois avouer qu'Olivia a été plus perspicace que moi sur ce coup-là : Marissa a l'air pétrifiée. D'ordinaire, elle a le teint pâle, mais, là, on dirait qu'un cadavre se tient devant la porte.

Son regard balaie l'entrée, puis elle lève la tête vers Olivia. Je l'entends prendre une respiration tremblante. Sincèrement, si elle joue la comédie, elle mérite un putain d'oscar.

— Non. Il faut que j'entre. Je ne peux pas vivre terrifiée toute ma vie. Faut remonter en selle tout de suite, pas vrai, quand on se casse la gueule ? dit-elle s'efforçant de sourire.

— Je m'occupe de Nash. Prends le temps qu'il te faut.

Marissa prend une inspiration profonde et secoue la tête.

— Non, ça va aller.

Ce doit être un truc de famille, cette faculté qu'elles ont de laisser transparaître jusque dans leur gestuelle qu'elles ont surpassé leurs emmerdes. J'ai déjà vu Olivia le faire deux ou trois fois. C'est une façon comme une autre de se botter le cul. Finalement, peut-être que Marissa a suffisamment d'Olivia en elle pour faire un être humain à peu près décent.

Ils entrent tous les trois dans l'appartement, et lorsqu'ils arrivent dans le salon, j'ai l'impression que Nash soutient Marissa et pas l'inverse.

— Par ici, dit-elle en désignant sa chambre. Je lui laisse ma chambre. Je dormirai sur le canapé.

Personne ne proteste ; surtout pas moi. Ce n'était pas mon idée, tout ça, alors personne ne me fera pieuter sur le sofa. Ma place est aux côtés d'Olivia. Marissa se démerde.

Lorsque les filles commencent à retirer à Nash sa veste et son tee-shirt, je trouve la bonne excuse de devoir aller attendre le contact de Gavin à l'entrée. C'est peut-être idiot, mais je ne supporte pas de voir Olivia enlever le tee-shirt d'un autre homme, même si cet autre homme est mon frère jumeau. D'ailleurs, c'est peut-être même pire : c'est comme si c'était moi qu'elle désapait. Sauf que… pas du tout.

Je trépigne devant la porte d'entrée, au comble de l'exaspération, quand la silhouette d'une berline noire se dessine au coin de la rue. Un petit type en sort, regarde alentour comme si de rien n'était, jette une sacoche sur son épaule, puis monte d'un pas tranquille sur le trottoir. Lorsqu'il arrive à mon niveau, je suis surpris par son jeune âge.

— Où est le type blessé ? me demande-t-il d'un ton égal.

Jeune ou vieux, ce type est du genre direct.

— Qui pose la question ?

S'il croit avoir affaire à un crétin, il se plante.

— Delaney. C'est Gavin qui m'envoie.

— Et t'es qui ? Son faire-valoir de lycée ?

— Non. J'ai bossé avec lui au Honduras.

Gavin m'a parlé du Honduras deux ou trois fois. Apparemment, il y était en qualité de spécialiste en… je ne sais trop quoi, d'ailleurs. C'était un véritable enfer, semble-t-il. De ce que j'en ai compris du récit de Gavin, les mercenaires envoyés là-bas n'étaient pas mieux lotis que les malheureux qui ont fini dans les tranchées pendant la guerre. Si ce type était avec lui, je peux croire qu'ils aient une dette l'un envers l'autre.

— Suis-moi, lui dis-je, avant de le guider jusqu'à la chambre de Marissa.

Nous nous tenons tous autour du lit comme des passants curieux, tandis que le type rafistole Nash. Sa sacoche a l'air d'une véritable pharmacie ambulante, et je n'ose même pas imaginer ce qui s'y trouve. Il injecte le contenu de deux seringues à mon frère, puis badigeonne sa plaie de désinfectant orange avec une compresse stérile. Il fiche ensuite une nouvelle seringue pleine de… lidocaïne, je pense, directement dans la plaie de Nash, sort des gants stériles, puis commence à la recoudre.

Une fois qu'il a terminé, il pose un flacon de médicaments sur la table de nuit, dit à Nash d'en prendre trois fois par jour pendant deux semaines, lui adresse un hochement de tête, puis se lève pour partir.

Je le raccompagne à la porte, mais moins par politesse que parce que je ne lui fais pas encore confiance. Il sort sur le trottoir, se tourne pour me saluer d'un hochement de tête, puis s'éloigne.

Et c'est tout.

Les tueurs, ce doit être une branche cousine de celle des humains normaux…

Avant de prendre la parole, j'attends que les filles aient fini de dorloter Nash.

— Bon, je crois qu'un peu de repos ne fera de mal à personne.

— Marissa, tu es sûre que tu ne veux pas dormir dans mon lit ? Tu en as bavé, ces derniers jours…

Elle sourit à Olivia, l'air sincèrement touchée par sa proposition.

— Non, je crois que je vais rester un peu avec lui. Prenez la chambre, tous les deux.

— Tu es sûre ?

— Certaine. Et puis, le canapé est vraiment confortable.

— C'est le moins qu'on puisse dire, lui concède Olivia.

Elles se sourient toutes deux comme si elles venaient de partager des confidences. Le fait qu'Olivia parvienne à enterrer si facilement la hache de guerre face à quelqu'un qui l'a méprisée autant que

Marissa la rend encore plus respectable à mes yeux… Olivia est vraiment une fille incroyable.

—OK, alors on file se coucher. Je prends juste une douche et je disparais.

—Bonne nuit, réplique Marissa, avant de contourner le lit et de venir s'installer à côté de Nash. Eh, Liv…

Merde, on était à deux doigts d'être seuls! pensé-je, lorsque Olivia s'arrête devant la porte.

Elle se retourne vers sa cousine et, une fois de plus, je suis témoin du changement qui s'est opéré chez Marissa. Peut-être que cet enfer était ce qu'il lui fallait pour abandonner derrière elle sa tenue de garce…

—Merci.

Elles échangent un regard. Olivia sourit. Marissa sourit.

—C'est à ça que ça sert, la famille, non?

Enfin, nous échappons à Nash et Marissa. Olivia ne dit pas grand-chose et se contente de récupérer quelques affaires, puis de les emporter dans la salle de bains. Quelques minutes plus tard, j'entends la douche couler, puis s'arrêter. Au fond de moi, je ne peux m'empêcher de me sentir vexé de ne pas avoir été convié à partager ce moment. Certes, j'aurais pu prendre les rênes et débarquer, mais, comme elle est peut-être encore en colère contre moi, ça aurait pu jouer en ma défaveur plus qu'autre chose.

Je me déshabille, me glisse sous les couvertures, éteins les lumières et m'installe confortablement pour l'attendre. Il faut qu'on règle ça avant l'aube, d'une façon ou d'une autre.

La porte de la salle de bains s'ouvre doucement. Comme sa chambre est plongée dans l'obscurité, je ne la vois pas, mais entends ses pas délicats, tandis qu'elle s'approche du lit. Avec une grande discrétion, elle se glisse à son tour sous les draps et vient se poser contre moi. Avant de dire quoi que ce soit, j'attends qu'elle soit confortablement installée.

—J'aimerais que tu comprennes une chose…

Elle sursaute.

—Qu'est-ce qu'il y a?

—Tu m'as fait peur! s'exclame-t-elle.

—Tu pensais vraiment que j'allais m'endormir en sachant que tu m'en voulais?

Comme elle ne répond pas, je comprends que c'est exactement ce qu'elle pensait. Et ça me rend dingue.

—C'est juste, dit-elle enfin, que je n'arrive pas à comprendre comment tu peux te foutre à ce point du sort de Marissa.

—Il y a plusieurs raisons à ça, en fait. La première, c'est que je ne la connais que trop bien. La deuxième, c'est que j'ai un peu de mal à oublier la façon dont elle t'a traitée. Et, la troisième, c'est qu'elle n'est pas toi. Je suis navré, mais tu es ma priorité numéro un.

—Ce n'était pas une raison pour accepter de la laisser venir ici toute seule, alors que tu savais que c'était dangereux…

—Olivia, ta cousine est adulte. Elle fait ce qu'elle veut de sa vie. Et puis, ce n'est pas comme si elle n'avait nulle part où aller: elle aurait très bien pu rentrer chez son père. C'est juste qu'elle ne le voulait pas.

—OK, mais tu te montres particulièrement froid avec elle.

—Tu veux savoir pourquoi? Parce qu'elle ne m'intéresse pas. Tout ce qui m'intéresse, c'est toi. L'essentiel, c'est que tu sois en sécurité. Je ne suis pas amoureux de Marissa: je suis amoureux de toi. Est-ce que tu vas finir par comprendre que je ne peux pas imaginer une seconde vivre sans toi? Que j'en serais tout bonnement incapable? À quoi ressemblerait ma vie s'il t'arrivait quelque chose? Hein? Voilà pourquoi je ne voulais pas que tu te pointes ici avec elle sans personne pour vous protéger: c'est un risque que je suis incapable de prendre. Je ne veux pas risquer de te perdre. Jamais. Qu'est-ce qui est si difficile à comprendre?

J'ai haussé le ton dans mon emportement, ce qui rend le silence qui suit ma tirade d'autant plus pesant.

Elle ne répond rien, mais je sens le drap bouger, tandis qu'elle se rapproche de moi. Soudain, je sens ses mains, chaudes et délicates, se poser sur mon ventre.

—Cash? murmure-t-elle.

—Oui?

Elle laisse glisser ses mains jusque sur mon torse, puis enveloppe mon cou de ses doigts, avant de grimper sur moi. Avec une délicatesse inouïe, elle dépose un baiser sur mes lèvres.

—C'est tout ce que j'attendais que tu dises…

—Tu ne m'as pas laissé le temps de le faire…, bredouillé-je contre sa bouche.

—La prochaine fois, commence par là, dit-elle.

Je sens ses lèvres s'ouvrir contre les miennes. Elle sourit, je le sens.

Aussitôt, je passe les bras autour d'elle, roule sur le côté de façon qu'elle se retrouve sur le dos, puis viens me caler entre ses jambes écartées.

Elle est nue, et je dois user de toute ma détermination pour ne pas m'enfoncer en elle sans sommation. Son corps m'attire comme un bain chaud par une nuit d'hiver; son âme comme une oasis en plein désert; et son cœur comme un phare attire un matelot perdu.

—Commencer par te dire que je suis amoureux de toi? lui demandé-je, tout en titillant ses lèvres douces d'une érection impatiente.

—Oui. Commence toutes tes phrases par ça, même, s'il te plaît…

—Je t'aime, Olivia Townsend, murmuré-je en m'immisçant lentement en elle.

Nos souffles se mêlent.

—Je t'aime, Cash Davenport.

Je me retire, de façon que seul le bout de mon sexe reste en elle, puis la pénètre de nouveau, un peu plus profondément, cette fois.

—Promets-moi que tu ne me quitteras jamais. Reste auprès de moi, Olivia. Rentre avec moi demain, et ne repars plus jamais.

Elle marque une pause et, lorsqu'elle me répond, j'entends son sourire dans sa voix.

—Je resterai auprès de toi aussi longtemps que tu voudras.

—Alors tu y resteras pour toujours. Plus jamais je ne veux passer une nuit sans toi. Plus jamais. Je ne supporte pas l'idée qu'il puisse un jour t'arriver quelque chose ; je ne supporte pas l'idée qu'on se dispute… Je veux que tu sois comblée chaque seconde de ta vie. Auprès de moi.

—Dans ce cas, considère-moi comme comblée. Auprès de toi. Chaque seconde.

—Chaque seconde, répété-je en posant mes lèvres sur les siennes.

Sa respiration se fait haletante lorsque nos corps s'unissent.

Cette fois, j'inspire pour faire mien son souffle. Je veux qu'Olivia fasse partie de moi comme je fais partie d'elle… Car pour moi, c'est la seule voie qui mène au bonheur, à la vie. À la complétude.

Et c'est comme ça que je me sens maintenant.

Entier.

Enfin…

Épilogue

NASH

ENTRE LE FAIT DE ME RÉVEILLER DANS UN ENDROIT INCONNU et les effets des médocs que m'a filés le malade qui m'a charcuté, lorsque j'ouvre les yeux, je me sens complètement désorienté. La première chose que je perçois, c'est le parfum délicieux de la femme lovée contre moi, une jambe posée sur les miennes. La deuxième, c'est l'érection impressionnante que me vaut cette vision.

Les détails sur la succession d'événements qui m'a mené ici me reviennent peu à peu. La douleur que je ressens est à peine perceptible, et j'en suis pour le moins étonné : le type qui m'a planté a dû prendre un malin plaisir à enduire sa lame de merde avant de se charger de mon cas. Quoi qu'il en soit, je me sens plutôt bien, compte tenu de la situation.

Tout du moins, jusqu'à ce que j'entende la voix de mon frangin dans la pièce d'à côté. Il est au téléphone.

— C'est toi qui as fait ça ?

Silence.

— Tu sais très bien qui est à l'appareil, connard ! grogne-t-il. C'est toi qui as fait ça, enfoiré ?

Un nouveau silence.

— Te faire confiance ? Espèce de fils de p…

J'entends son souffle bruyant se changer en grondement, puis il grogne de plus belle.

283

— Et qu'est-ce qu'on est censés foutre, maintenant ? Je n'ai pas le choix : je vais devoir prendre de nouvelles dispositions pour protéger les gens que j'aime.

Pas besoin d'être un génie pour comprendre qu'il parle de mon petit accident de moto.

Cash s'inquiète trop pour ceux qui l'entourent.

Moi, je m'en cogne.

Je n'ai qu'une mission, une seule, et j'ai de plus en plus l'impression que je vais devoir me venger seul des chiens qui ont tué notre mère.

Je ne suis pas surpris, cela dit : s'il est une chose que la vie m'a apprise depuis que j'ai quitté la maison il y a sept ans, c'est que je ne peux faire confiance à personne.

Même pas à ma famille.

Achevé d'imprimer en juin 2014
N° d'impression 1405.0069
Dépôt légal, juillet 2014
Imprimé en France
81121234-1